edition suhrkamp
Im Dialog. Neues deutsches Theater

Redaktion: Günther Busch

Die Reihe ›im Dialog. Neues deutsches Theater‹ bringt ausschließlich deutschsprachige Stücke. Dramatiker versuchen der veränderten
Thematik der Gegenwart mit neuen Formen zu begegnen.

Tankred Dorst, geboren 1925 in Sonneberg/Thüringen, lebt heute in München. Dramen: *Gesellschaft im Herbst* 1960; *Die Kurve* 1960; *Freiheit für Clemens* 1960; *Große Schmährede an der Stadtmauer* 1961; *Die Mohrin* 1964; *Wittek geht um* 1967. Libretti: *La buffonata* (Ballettoper) und *Yolimba* (Oper), beide für den Komponisten Wilhelm Killmeyer. Bearbeitungen: *Der gestiefelte Kater* (nach Tieck); *Rameaus Neffe* (nach Diderot). Essays: *Das Geheimnis der Marionette* 1958; *Auf kleiner Bühne* 1959. Tankred Dorst wurde 1960 mit dem Förderpreis des Gerhart-Hauptmann-Preises, 1964 mit dem Gerhart-Hauptmann-Preis ausgezeichnet.

Tankred Dorsts neues Schauspiel *Toller* führt zurück in eine revolutionäre Phase deutscher Geschichte, die der Münchner Räterepublik. Es zeigt den Aufbau des im April 1919 in München errichteten Rätesystems, das bereits einen Monat später durch das Eingreifen von Freikorps aufgelöst wurde. Neben dem historischen Ablauf erhellt es aber auch das individuelle Schicksal des Dichters Ernst Toller, der als Vorsitzender des Zentralrates nach dem Sieg der Regierungstruppen zu Festungshaft verurteilt wurde. Die historischen Fakten verwendet Dorst nicht zu einem dokumentarischen Schauspiel, sondern als konkretes Material zu einem imaginierten, der Geschichte zwar verpflichteten, sie jedoch nicht nacherzählenden Theaterstück.

Tankred Dorst
Toller

Suhrkamp Verlag

edition suhrkamp 294
5. Auflage, 27.–28. Tausend 1978
© Suhrkamp Verlag, Frankfurt am Main 1968. Der Text folgt unver-
ändert der in *Spectaculum II* gedruckten Fassung. Printed in Germany.
Alle Rechte vorbehalten durch Suhrkamp Verlag. Die Aufführungs-
rechte werden vom Verlag Kiepenheuer & Witsch, Köln, verwaltet.
Satz in Linotype Garamond, Druck: Nomos Verlagsgesellschaft,
Baden-Baden. Bindung: Hans Klotz, Augsburg. Gesamtausstattung
Willy Fleckhaus.

Toller

Außer Toller, Leviné, Landauer, Dr. Lipp, Mühsam, Gandorfer, Paulukum, Reichert werden alle Personen von etwa 20 Schauspielern gespielt, so daß jeder dieser Schauspieler mehrere Rollen übernimmt: Studenten, Rotgardisten, adliger Herr, Gradl, Resl, Walter, Arbeiter, Generäle, Zeugen vor Gericht und so weiter.

Kein Bühnenbild.
Alle Szenen sollen ineinander übergehen; einige müssen simultan gespielt werden können. Das Ganze als Revue. Mehrere Spielflächen: Unten die Hauptbühne, darüber oben eine Art Galerie; rechts und links erhöht kleinere Seitenbühnen.
Licht wie im Zirkus: Spotlights auf den jeweils bespielten Flächen.

Unten kommen die Mitglieder des provisorischen Zentralrats, unter ihnen: Erich Mühsam, kleiner, etwas zappeliger Literat; Dr. Lipp, sehr gepflegt gekleideter Herr mit einem Henri-Quatre-Bart; Gustav Landauer, großer Mann, altmodischer Mantel, Christuskopf; Paulukum, schlesischer Landarbeiter; Gandorfer, Bauernrat, in bayrischer Tracht; Reichert, Soldatenrat, ehemaliger Kellner; Maenner, ein kleiner Bankbeamter.

VORSITZENDER *mit einer Liste:* Anwesend sind: Erich Mühsam, Anarchist; Gustav Landauer, Anarchist; Reichert, vom Arbeiter- und Soldatenrat; Gandorfer, Bauernbund; Toller –

MÜHSAM *ruft dazwischen:* Toller ist noch nicht da!

VORSITZENDER Dr. Lipp von den Unabhängigen; Maenner, unabhängig; Sontheimer, unabhängig; als Vertreter der Gewerkschaften die Genossen Schmidt und Schiefer.

REICHERT Kommunisten?

DR. LIPP Man darf jetzt wohl ernsthaft bezweifeln, daß sie mitmachen.

LANDAUER Freunde, fangen wir doch an!

REICHERT Ohne die Kommunisten? Det gibt Ärger!

MÜHSAM Die kommen noch, wenn sie sehn, daß es ernst wird.

DR. LIPP Kennt eigentlich jemand der Herrn diesen Leviné?

GEWERKSCHAFTLER Kleiner Lenin. Kommt direkt aus Berlin. Mit Rußlanderfahrung.

GANDORFER Aber keine Bayernerfahrung!

LANDAUER *zum Gewerkschaftler:* Ich werde als erstes den Antrag stellen, die Anwesenden zur konstituierenden Versammlung zu erklären.

GEWERKSCHAFTLER Das heißt also, die bisherige Regierung ist abgesetzt.

PAULUKUM Du willst wohl sagen: die haam sich geschlichen.

DR. LIPP Sogar den Abortschlüssel soll der verehrte Herr Ministerpräsident aus dem Landtagsgebäude mitgenommen haben.

MÜHSAM Aus Angst, sie scheißen in die Hosen.

GEWERKSCHAFTLER Aber amtlich hat weder der Landtag noch der Ministerpräsident seinen Rücktritt erklärt. Wenn wir uns hier als Räterepublik konstituieren, bedeutet das nach den Gesetzen Hochverrat.

MÜHSAM Natürlich! Was denn sonst!

LANDAUER Und Gott sei Dank! Eine Revolution, meine Herren, ist ein schöpferischer Akt und beginnt mit der Beseitigung des Althergebrachten. Soviel dürfte auch den Sozialdemokraten unter Ihnen bekannt sein. Wir brechen, indem wir uns konstituieren, jede Beziehung mit der reaktionär sozialdemokratischen Berliner Regierung ab.

VORSITZENDER Wie sind die Chancen für den Antrag Landauers?

DR. LIPP Keiner der Anwesenden ist, soviel man weiß, noch ein Anhänger des parlamentarischen Systems und der formalen Demokratie.

REICHERT Die Arbeitermassen schon lange nicht!

MÜHSAM *besteigt einen Stuhl:* An das Volk in Bayern!

8

REICHERT Nu mal mit der Ruhe, Mühsam! Soweit sind wir noch nicht!

MÜHSAM *liest aus einem Manuskript vor:* »Die Entscheidung ist gefallen. Bayern ist Räterepublik. Das werktätige Volk ist Herr seines Geschickes. Die revolutionäre Arbeiterschaft und Bauernschaft Bayerns, durch keine Parteigegensätze mehr getrennt, sind sich einig, daß von nun an jegliche Ausbeutung und Unterdrückung ein Ende haben muß. Die Diktatur des Proletariats, die nun in Bayern zur Tatsache geworden ist, will die Verwirklichung eines wahrhaft sozialistischen Gemeinwesens, in dem jeder arbeitende Mensch sich am öffentlichen Leben beteiligen soll, einer gerechten sozialistisch-kommunistischen Wirtschaft. Der Landtag, das unfruchtbare Gebilde des überwundenen bürgerlich-kapitalistischen Zeitalters, ist aufgelöst, das von ihm eingesetzte Ministerium zurückgetreten.«

PAULUKUM Mit een Tritt in en Arsch. – Zusatz!

MÜHSAM *liest weiter:* »Von den Räten des arbeitenden Volkes bestellte, dem Volk verantwortliche Vertrauensmänner erhalten als Volksbeauftragte für bestimmte Arbeitsgebiete außerordentliche Vollmachten. Die Presse wird sozialisiert. Zum Schutz der bayerischen Räterepublik gegen reaktionäre Versuche von außen und innen wird sofort eine Rote Armee gebildet. Ein Revolutionsgericht wird jeden Anschlag gegen die Räterepublik sofort ahnden. Die bayerische Räterepublik folgt dem Beispiel Sowjetrußlands und Sowjetungarns. Sie nimmt sofort brüderliche Verbindung mit diesen

Völkern auf. Dagegen lehnt sie jedes Zusammenarbeiten mit der Regierung Ebert und Noske ab, weil diese unter der Flagge einer demokratischen, sozialistischen Republik das imperialistisch-kapitalistische Geschäft des alten Deutschen Reiches fortsetzt. Sie ruft alle deutschen Brudervölker auf, den gleichen Weg zu gehen. Allen Arbeitern, wo immer sie ...«

PAULUKUM Du, Obacht, Mühsam! Der Stuhl wackelt!

MÜHSAM Ist ja auch ein Wittelsbacher!

Gelächter.

»... wo immer sie für die Freiheit und Gerechtigkeit, wo immer sie für den revolutionären Sozialismus kämpfen, in Württemberg und im Ruhrgebiet, in der ganzen Welt, entbietet die bayerische Räterepublik ihre Grüße. Es lebe das freie Bayern! Es lebe die Weltrevolution! München, den 6. April 1919.«

DR. LIPP *klatscht:* Grandios! Herr Landauer, an dem Aufruf haben Sie wohl mitgewirkt?

MÜHSAM *steigt vom Stuhl:* Morgen früh steht das an allen Litfaßsäulen!

VORSITZENDER Vorausgesetzt, wir werden uns hier einig. Mühsam besteigt nun mal die Stühle lieber, anstatt sich erst mal darauf zu setzen.

MÜHSAM Da seh ich das Gelobte Land eher!

REICHERT Vermisse in dem Aufruf das Wort »Klassenkampf«.

MÜHSAM Landauer war dagegen.

LANDAUER In den letzten Jahren ist Blut genug geflossen, sollen wir noch einmal damit beginnen?

Unsere Revolution muß eine Revolution der Liebe sein

REICHERT In Ordnung – wenn die Kapitalisten uns auch lieben!

LANDAUER Der revolutionäre Impuls muß das ganze Land umfassen, nicht bloß die Arbeiterklasse. Er muß alles mitreißen und wachsen, über die Klassen hinaus. Wenn unsere Revolution nur eine äußere ist, wird sie bald in Äußerlichkeiten erstarren.

REICHERT Mensch, Landauer, bleib aufm Teppich.
Der alte Hausmeister Gradl nimmt den Stuhl, auf dem Mühsam gestanden hat, weg.

MAENNER *beunruhigt zum Vorsitzenden:* Sind inzwischen Nachrichten aus Würzburg da?

VORSITZENDER Noch nichts Definitives.

MAENNER Aus Nürnberg auch nicht?

VORSITZENDER Bisher macht nur Augsburg mit.

MÜHSAM *mischt sich ein:* Und ganz Rußland! Und ganz Ungarn! Da können wir doch vorläufig auf Ingolstadt verzichten.

DR. LIPP *im Gespräch mit Gandorfer:* Sehn Sie, Gandorfer, alle diese bodenreformerischen Bemühungen haben ihre eigentlich poetische Faszination durch die Apostelgeschichte.
Toller kommt, er ist aufgeregt und gibt dem Hausmeister Gradl, der an der Tür steht, seine Schirmmütze.

TOLLER Aufhängen!

GANDORFER *froh, von Dr. Lipp wegzukommen:* Der Toller ist da! Auf gehts beim Schichtl!

TOLLER Die Stadt ist in Aufruhr! Die ganze Stadt!

Ich bin eben auf der Ludwigstraße angehalten worden, ein alter Arbeiter hat mich erkannt, der Toller! rief eine Arbeiterfrau, dann waren viele Menschen da, ich habe ihnen gesagt, ich bin auf dem Weg zum Wittelsbachpalais, wir rufen die Räterepublik aus – da hat man mich hierher getragen!

REICHERT Drum biste zu spät gekommen.

TOLLER Ihr habt angefangen?

REICHERT Ja, von hinten. Mühsam hat gerade den Aufruf an das Volk verlesen. Bleibt nur noch die kleine Frage, solln wir nu oder solln wir nich.

VORSITZENDER Die Kommunisten sind nicht gekommen

DR. LIPP Ich persönlich vermisse die Kommunisten offen gestanden gar nicht.

VORSITZENDER Wenn man mit Leviné Verbindung hätte!

MÜHSAM Habe ihn mal gesehn, in Berlin.

GEWERKSCHAFTLER Aber wir müssen doch warten!

ZWEITER GEWERKSCHAFTLER Unter allen Umständen! Ich bestehe darauf!

MÜHSAM Gewerkschaft, wieder mal!

TOLLER *zeigt seinen zerrissenen Rock:* Hier! Seht her! Den Rock zerrissen! Zerfetzt! Wie eine Fahne! Vor Begeisterung! So reagiert die Masse auf unsere Räterepublik!

REICHERT Aber nicht die KP.

TOLLER Arbeiter! Es waren Arbeiter! Das ist ein gewaltiger Impuls der Massen, der uns jetzt trägt! Jetzt! In diesem Augenblick! Er kann uns im nächsten Augenblick, wenn wir zögern, verschlingen!

LANDAUER *sieht Toller begeistert an:* Ja, Toller! Ja!

DR. LIPP Die Ämter sind ja bereits vergeben, und man ist dabei ohne Kommunisten ausgekommen.

REICHERT Heerwesen, wie ist es damit?

MÜHSAM Die Gewehre schießen immer nach links, da brauchen wir einen, von dem links keiner mehr steht.

TOLLER Auf jeden Fall kein Sozi!

REICHERT Ne Rote Armee aufstellen ohne Kommunisten, is ja wohln Witz.

MÜHSAM Wenn die KP nicht mitmacht, nehmen wir dich, Reichert! Du bist doch einer.

DR. LIPP *in Erwartung, daß man ihm das Amt vorschlägt:* Und für das Auswärtige . . .

MÜHSAM Der Mann muß einen guten Namen im Ausland haben. In Rußland, Ungarn. Und bei den Sozialisten Frankreichs. *Sieht sich triumphierend um.* Wer hat den?

REICHERT Doch nicht etwa der Mühsam?

MÜHSAM Mein Vorschlag: Genosse Mühsam von den Anarchisten.

Gelächter. Dr. Lipp wendet sich verärgert ab.

LANDAUER Erich als Diplomat!

TOLLER Mit dir, Mühsam – das gibt Ärger bei den Westmächten.

MAENNER Wer kommt denn sonst in Frage?

TOLLER Ich bin für Doktor Lipp.

REICHERT *der neben Lipp steht, böse:* Lipp, wer ist das?

TOLLER Wir haben öfter in weltanschaulichen Fragen miteinander diskutiert. Dabei ist mir Dr. Lipp im-

mer als ein differenziert und klar denkender Mann
erschienen.

DR. LIPP Ihr Lob freut mich herzlich, Ernst Toller.
Ganz besonders herzlich!

REICHERT Was hast du denn vorzuweisen?

DR. LIPP Ich könnte hinweisen auf meine langjährige
Tätigkeit für das Auswärtige Amt in Rom, auf
meine intime Kenntnis der französischen Diplomatie . . .

REICHERT Politisch mein ich!

DR. LIPP Verbindung zu den russischen Sozialisten
seit der Zimmerwalder Konferenz, bei dieser Gelegenheit persönliche Bekanntschaft mit Radek und
Beziehungen zu Volkskommissar Tschitscherin. In
eigener Person natürlich voll und ganz auf dem
Boden des Rätegedankens.

REICHERT *geht weg:* Der Kerl ist mir zu geschniegelt.

TOLLER Finanzen: Sylvio Gesell, sein Vertreter:
Maenner. Das bleibt dabei?

MAENNER Ich bin ja aus dem Bankfach.

TOLLER Was ist noch offen?

MÜHSAM Bildungswesen.

GANDORFER Die Schulen auf dem Land. Da schauts
finster aus.

LANDAUER Und wir müssen die Universitäten revolu-
tionieren, das Bildungsmonopol der Bourgeoisie
brechen. Unsere Studenten sind reaktionär, natürlich, es sind ja die Kinder reaktionärer Eltern.

TOLLER Gustav Landauer, ich möchte Sie als Lehrer
des ganzen Volkes sehen.

MÜHSAM Einverstanden! Gegenstimmen?

GANDORFER Ja, wenn ich dazu etwas sagen sollt –
gscheit ist er, das stimmt. Und das Bildungswesen
ist ihm sozusagen aufn Leib geschrieben. Aber ob
du beim Volk richtig ankommst, ich mein, ob du
den richtigen Sensus hast dafür – *zu Landauer* – ob
du da net schon zu viel Distanz hast vom Volk
durch das Bücherschreiben! Du weißt, daß ich deine
Bücher schätz, ich habs gelesen, das eine, wo das
steht von der geistigen Revolution, das hat schon
Hand und Fuß – aber weißt schon, die Leit . . .

MÜHSAM Dekorieren wir dich eben mit nem Gams-
bart, Gustav.

GANDORFER Laßt mich nur ausreden. Da is noch was,
was vielleicht gegen dich spricht – für den Posten
mein ich. Versteh mich nicht falsch, Landauer, du
weißt, ich hab bestimmt nix gegen die Juden – aber
du bist halt einer, das läßt sich nicht verheimlichen.
Weißt schon, die Leit aufm Land . . .

MÜHSAM Wie findet ihr das?

Schweigen.

GANDORFER Ich habs ja bloß sagen wolln.

TOLLER Und das Verkehrswesen?

MAENNER Paulukum.

DR. LIPP *spöttisch:* Er hat ja seine Beziehungen zum
Verkehrswesen – als Streckenarbeiter.

REICHERT *hat es gehört:* Haben Sie was gegen Arbeiter?

LANDAUER Jetzt ist es wirklich Zeit anzufangen.

Alle nach hinten ab.

Rechts, links, dann unten. Arbeiter, Arbeiterinnen und junge Leute kommen herein. Transparente, rote Fahnen. Über den Köpfen, mitgetragen, übergroße groteske Puppen – wie zu Karnevalsumzügen – eine zusammengebündelte Gruppe mit Hüten und Aktenmappen, Aufschrift: »Landtag«, ein ordenbehängter General mit aufgerissenem Maul; eine allegorische Figur der Bourgeoisie mit einem Geldsack.

JEMAND *ruft:* Laßt euch durch Schwätzer nicht vertreten!

ALLE Alle Macht den Räten!

DIE JUNGEN ARBEITER *mit den Landtagspuppen fordern die Menge auf, im Sprechchor mitzumachen:*
Laßt euch durch Schwätzer nicht vertreten!
Alle Macht den Räten!

ALLE *im Sprechchor:*
Alle Macht den Räten!
Alle Macht den Räten!
Alle Macht den Räten!
Sie hängen die Puppen des »Landtags« an einen Strick und ziehen sie hoch. Oben bleiben sie hängen. Jubel, Händeklatschen.

DIE PUPPE BOURGEOISIE, *unter der ein junger Mann steckt, läuft bittend herum:* Bitte, Genossen, meine Herrschaften, ich biete Ihnen meine finanzielle Unterstützung an! Bitte! Nehmen Sie! Meine Dollar!

EIN AGITATOR
Die Bourgeoisie nutzt deine Not,
Laß dich nicht kaufen! Schlag ihn tot!

Sie binden die »Bourgeoisie« an einen Strick und ziehen sie halb hoch. Jubel, Händeklatschen.

DER JUNGE MANN *der unter der Puppe war, ruft:* Meine Dollar! Meine Dollar! *Macht den Geldsack auf.*

EIN ANDERER JUNGER MANN *schüttet den Sack aus, ruft:* Steine hat er drin! Im Sack!
Buhrufe, Gelächter.

SPRECHCHOR *dirigiert von dem jungen Mann:*
Laßt ihn nicht laufen! Schlagt ihn tot!
Laßt ihn nicht laufen! Schlagt ihn tot!
Arbeiter und junge Leute sammeln die ausgeschütteten Steine auf und werfen damit nach der halbhoch hängenden Puppe, die an dem Seil zappelt und zuckt und dann ganz hoch gezogen wird, wo sie hängen bleibt.

EIN JUNGER MANN *der den General mitgetragen und aufgestellt hat, schreit:* Achtung! Der General! Der Granatenfresser! *Er stopft ihm ein paar Sprengkörper in das offenstehende Maul.* Befehlsausgabe! *Alle gehen in Deckung. Der »General«, allein in der Mitte der Bühne, beginnt zu dampfen und explodiert. Er fällt in sich zusammen. Die Menge jubelt, klatscht in die Hände, formiert sich, zieht ab.*

Rechts Toller, Landauer.

LANDAUER Damals, auf einem langen Spaziergang, ich weiß es noch genau, da haben Sie mir gesagt, nicht die Schönheit bewege Sie, sondern die Not. Ein so großes und gutes Wort. Und nun wollen Sie sich dem Notwendigen nicht stellen?

TOLLER Vorsitzender! Ich als Vorsitzender! Ich!

LANDAUER Sie sind jung, Sie sind für viele Menschen ein Symbol für diese neuen Ideen –

TOLLER Ich habe ein Drama geschrieben – ein paar Gedichte, das ist alles –

LANDAUER Sie haben die Menschen damit bewegt! Sie haben sie beeinflußt, verändert! Wollen Sie jetzt hintreten und sagen, es war gar nicht so gemeint? Es war bloß Hokuspokus, ihr seid bloß darauf reingefallen?

TOLLER Das ist doch etwas anderes . . . ob ich etwas schreibe, oder ob ich . . .

DR. LIPP *ist dazu gekommen:* Als Vorsitzender der USP sind Sie ohnehin prädestiniert für diese Position. Wer denn sonst?

TOLLER Hier geht es um ganz reale Probleme. Vergeßt das doch nicht! Dazu gehört Erfahrung! Ich sehe das alles! Es muß sofort mit den Kommunisten verhandelt werden, zum Beispiel – das wird wahrscheinlich nicht einfach sein –

DR. LIPP Sie können das!

TOLLER Und Kontakt mit Rußland. Sofort! Und mit Berlin – bevor die Westmächte Ebert unter Druck setzen! Die werden natürlich etwas unternehmen, natürlich! Und dann –

DR. LIPP Bayern als freier Staat! – Wenn nur England oder Italien uns anerkennt, können wir eine militärische Intervention Berlins leicht auf diplomatischem Wege verhindern.

TOLLER Weiß ich nicht! Weiß ich nicht! Wir brauchen die Rote Armee, wir müssen die Arbeiter bewaffnen – und die Neuordnung der Betriebe, die Lebensmittelversorgung, wie ist es damit? Das Hinterland darf uns nicht im Stich lassen, wir müssen die Bauern für uns gewinnen. Leute von uns müssen auf die Dörfer, den Bauern klarmachen, was wir wollen, – unser Aktionsprogramm –

LANDAUER Nun sind Sie schon mittendrin, Toller. *Oben und links sind mehr und mehr Leute hereingekommen. Zivilisten. Arbeiter mit roten Armbinden. Rotgardisten.*

EIN ALTER SCHAUSPIELER *oben, ruft:* Der Toller! Der Dichter Ernst Toller! Der Dichter der Wandlung! »Vielleicht gekreuzigt wird es sich erlösen –« *Unten kommen Arbeiter, die Bühne füllt sich.*

TOLLER *zu Landauer:* Wir dürfen uns nicht mehr mit ästhetischen Problemen beschäftigen! Wir müssen handeln! Wir haben keine Zeit mehr! Keinen Augenblick!

SPRECHCHOR *oben:* Toller! Toller! Toller! Toller!

DER ALTE SCHAUSPIELER *oben, ruft:* Für ein neues Theater! Revolutionstheater! Weg mit den Dreieckskomödien! Stücke aus Beton! Wie Wolkenkratzer! Aus Beton und Feuer!

EINE ALTE FRAU *links:* Der erste sozialistische Jesus von Nazareth!

SPRECHCHOR Toller! Toller! Toller!

TOLLER *zu der Menge:* Freunde, Genossen – da sagen die Realpolitiker, das ist nicht realpolitisch, was wir machen wollen, das ist bloß Schwärmerei – eine Welt, wie wir sie uns vorstellen, das gibt es nicht, immer wird es Kriege und Ausbeutung und Not geben. Seht euch die Leute an, die das sagen! Sie haben mit ihrer Realpolitik den Krieg gemacht, und verloren. Und Narren und Schwärmer wie Kurt Eisner haben den Frieden gemacht! Und die Realpolitiker wieder haben den Eisner umgebracht. Jetzt sind wir dran – sind wir Schwärmer? Wir verstehen nicht so viel wie die von diplomatischen Taktiken und von der Ausnutzung von Wirtschaftskrisen, aber wir haben eine große und unüberwindliche Waffe: unser Wollen und unseren Glauben und unsere Vorstellung von einer Welt, in der die Ausbeutung des Menschen durch den Menschen ein Ende hat!

Beifall. Jemand stimmt die Internationale an.

ALLE SINGEN

Wacht auf im Erdenrund, ihr Knechte,
Ihr Angeschmiedete der Not,
Aus Tiefen donnern eure Rechte.
Der Tag bricht an, die Fackel loht.
Frei die Bahn, heran zum Handeln,
Packt an! ihr Massen, erwacht:
Die Welt will sich von Grund aus wandeln.
Wir Sklaven ergreifen die Macht.
Völker, hört die Signale,
Reiht euch ein, der Würfel fällt.
Die Internationale
Erkämpft – befreit die Welt.

Links. Olgas Studentenbude. Olga und Toller im Bett.

OLGA Klingelhöfer hat angerufen, heute morgen.

TOLLER Weil ich nicht im Ausschuß war? Ich war verhindert.

OLGA Wegen Leviné.

TOLLER Leviné – mein Zeh tut mir so weh.

OLGA Die KP hat heute nacht eine Sitzung gehabt.

TOLLER Ja – die Russen! Die wissen alles. Die sind zusammengekommen und haben gesagt: wir wissen alles, und darüber haben sie abgestimmt.

OLGA Eglhofer soll auch dabei gewesen sein. Auch nicht dein Freund.

TOLLER Und Leviné hat wieder verkündet: in Rußland, Genossen, haben wir das so und so gemacht! Wie schon Lenin in seiner großen Auseinandersetzung mit den Sozialrevolutionären ... Der langweilt mich!

OLGA Leviné weiß jedenfalls, was er will. In den Fabriken hat die KP angefangen, eigene Betriebsräte zu wählen.

TOLLER Olga!

OLGA Und in der Streikfrage –

TOLLER Hat dich dein Mann auch immer Olga genannt?

OLGA Den Namen fand er gräßlich!

TOLLER *ironisch:* Er hat deine russische Seele nicht verstanden.

OLGA Er hat n i c h t s verstanden!

TOLLER Holst du mir mal die Jacke, bitte?

OLGA *holt die Jacke:* Da sind Papiere drin.

TOLLER Liebesbriefe?

OLGA *ironisch:* Soll ich sie für dich aufheben?

TOLLER *nimmt die Papiere:* Ausgearbeitetes Projekt,

den Erdball mit Elektrizität zu versorgen. »Wir in
Rußland haben vor allem das Problem der Elektrizität erkannt.« Leviné.

OLGA Er sagt auch ernstere Dinge.

Pause.

Ich könnte mir e i n e Situation vorstellen, in der ich
mit dir Schluß machen würde.

TOLLER *überspielt die Frage, lustig:* Wie? Was? Wie?

OLGA Wenn du die Idee der Revolution verraten
würdest.

TOLLER *betroffen und ärgerlich:* Aber Hedwig! Wir
haben die Revolution doch g e m a c h t ! Und dafür
leben wir doch!

OLGA *einlenkend und plötzlich die höhere Tochter:*
Ich meine – wenn du so »hui« bist – wie jetzt zum
Beispiel.

TOLLER *belustigt:* Hedwig!

OLGA Du, aufziehen hab ich nicht gern.

TOLLER Du – Bombenlegerin!

OLGA Man darf nicht das eine denken und das andere
tun. Von Sozialismus reden ja heute viele – auch
meine Familie in Wuppertal übrigens. Die ganz besonders! Mein Onkel hat sogar Kinderheime ge-
gründet, für Arbeiterkinder! »Damit sie aus dem
proletarischen Milieu rauskommen.« Dann kann er
sie später ausbeuten, und die sind dann sogar noch
dankbar dafür.

TOLLER Und ich, der Vorsitzende des Zentralrats der
Sowjetrepublik Bayern, Ernst Toller, bin bloß so
»hui«!

OLGA *zärtlich:* Du bist einfach schrecklich!

TOLLER Warst du mal im Matthäser, wenn Leviné geredet hat? Du siehst direkt, wie er sich um Kontakt bemüht. Und grade deswegen sind die Leute mißtrauisch. Du denkst immer: er hat recht, und dabei weißt du, daß er lügt. So ist die Stimmung im Saal. Er kommt nicht an.

OLGA *ironisch:* Ist ja auch kein Dichter!

TOLLER *ernsthaft, geht auf den Ton nicht ein:* Aber wenn das jetzt immer weiter anwächst, diese Bewegung, sie rollt einfach über uns weg, wir können sie gar nicht mehr kontrollieren, »wir rufen und reden, aber sie hören uns nicht mehr«! Wir wollen die Menschheit befreien und entfesseln damit auch das Böse in ihr. Wir werden Mörder bekränzen.

OLGA Jetzt bekommt der Mensch zum erstenmal in der Geschichte die Chance, gut zu sein.

TOLLER Sagt Landauer.

OLGA Du hast das auch mal gesagt.

TOLLER Vielleicht gibt es nur einen einzigen Augenblick, in dem wir frei sind – wenn die alte Ordnung zerschlagen ist und eine neue sich noch nicht etabliert hat. Nur dieser Moment – und wir Affen, wir strengen uns verzweifelt an, ihn auf ein Jahrtausend auszudehnen.

OLGA Neunzehntes Jahrhundert. Bakunin, Staatentum und Anarchie.

TOLLER Du glaubst einfach! Mit deiner Arbeiterbluse!

OLGA Marxismus ist keine Religion, sondern eine wissenschaftliche Entdeckung.

TOLLER *küßt sie:* Hui!

OLGA Entschuldige, wenn ich auch mal doktrinär werde.

TOLLER Weißt du, wo ich gewesen bin, gestern?

OLGA Im Englischen Garten. Am Monopteros. Gandorfer hat dich gesehen.

TOLLER Hör mal zu.

OLGA Über die Elektrizität?

TOLLER Ja. *Er liest ihr aus dem Manuskript vor.*
»Ihr mordet für die Menschheit,
wie die Verblendeten für ihren Staat gemordet.
Und einige glaubten gar
durch ihren Staat, ihr Vaterland
die Erde zu erlösen.
Wer für den Staat gemordet,
nennt ihr Henker.
Wer für die Menschheit mordet,
den bekränzt ihr!«

Rechts. Szene aus »Masse – Mensch«. Ein Käfig, darin kauert Toller in der Maske der »Frau«. Der Namenlose als Sprechchor.

DER NAMENLOSE Vom Wahn geheilt? Zerstäubt die Illusion?

DIE FRAU Du? Wer schickt dich?

DER NAMENLOSE Die Masse.

DIE FRAU Man hat mich nicht vergessen?

DER NAMENLOSE Mein Auftrag ist, dich zu befreien.

DIE FRAU Befreien! Leben!
Wir fliehn? Ist alles vorbereitet?

DER NAMENLOSE Zwei Wächter sind bestochen.
Den dritten, den am Tore, schlag ich nieder.

DIE FRAU Schlägst nieder ... meinetwillen?

DER NAMENLOSE Der Sache willen ...

DIE FRAU Ich hab kein Recht,
   durch Tod des Wächters Leben zu gewinnen.

DER NAMENLOSE Die Masse hat ein Recht auf dich!

DIE FRAU Und Recht des Wächters?
   Wächter ist Mensch.

DER NAMENLOSE Noch gibt es nicht »den Menschen«.
   Massenmenschen hie!
   Staatsmenschen dort!

DIE FRAU Mensch ist nackt.

DER NAMENLOSE Masse ist heilig.

DIE FRAU Masse ist nicht heilig.
   Gewalt schuf Masse.
   Besitzunrecht schuf Masse.
   Masse ist Trieb aus Not,
   ist grausame Rache,
   ist blinder Sklave,

DER NAMENLOSE Eil dich!
   Minuten bleiben uns.

DIE FRAU Du bist nicht Befreiung,
   du bist nicht Erlösung.
   Doch weiß ich, wer du bist.
   »Schlägst nieder!« Immer schlägst du nieder!
   Dein einziger Heilweg: »Tod« und »Rottet aus!«

DER NAMENLOSE Die Mördergenerale kämpfen für
   den Staat!

DIE FRAU Sie glauben gleich wie du an ihre Sendung.

DER NAMENLOSE Sie kämpften für den Unterdrücker
   Staat,
   wir kämpfen für die Menschheit.

DIE FRAU Ihr mordet für die Menschheit,
wie sie, Verblendete, für ihren Staat gemordet.
Und einige glaubten gar
durch ihren Staat, ihr Vaterland
die Erde zu erlösen.
Ich sehe keine Unterscheidung.
Wer für den Staat gemordet,
nennt ihr Henker.
Wer für die Menschheit mordet,
den bekränzt ihr!
Sprecht von guter, heiliger Gewalt.
DER NAMENLOSE Klag andre, klag das Leben an!

Unten. Ein bürgerliches Theaterpublikum klatscht Beifall.

Oben. Eine kommunistische Delegation: drei Arbeiter, die eng beieinander stehen.

DELEGIERTER *liest von einem Blatt:* Wir Kommunisten, die einzigen legitimen Vertreter der Arbeiterklasse, weigern uns, an einer Regierung teilzunehmen, in der die Sozialdemokraten wichtige Positionen behalten. Die Sozialdemokratie hat schon einmal zu Beginn des Krieges Ehre und Namen verloren, als sie der Anleihe für den imperialistischen Krieg zustimmte. Mit einer Partei, zu der der preußische Kriegsminister Noske gehört, der Truppen gegen Arbeiter eingesetzt hat, und die mit der Reichsregierung gegen die kämpfende Linke vorgeht, können wir nicht gemeinsame Sache machen. Des weiteren halten wir den Zeitpunkt zur Aus-

rufung einer Sowjetrepublik in Bayern noch nicht
für gekommen. Die Macht des Proletariats ist noch
nicht genügend gefestigt, die Massen sind über ihre
Lage noch nicht genügend aufgeklärt.
Links.

TOLLER *allein, wütend:* Gehn Sie doch mal auf die
Straße! Haben Sie denn nicht bemerkt, was da los
ist?
Oben.

DELEGIERTER *liest unbeirrt weiter:* Die Eile, mit der
die Räterepublik vorbereitet worden ist, und die
Ungeduld, mit der sie von gewissen Kreisen vor
allem in der Sozialdemokratie erwartet worden ist,
legen uns vielmehr den Verdacht nahe, daß man sie
verfrüht und ohne Fundierung im Proletariat ins
Leben rufen wollte, um sie dann um so leichter zum
Scheitern zu bringen.
Links.

TOLLER Wo ist Leviné! Ich will Leviné sprechen! *Ab.*
Oben.

DELEGIERTER *liest unbeirrt weiter:* Wir Kommunisten weigern uns deshalb im Interesse der Arbeiter,
an einer Regierung teilzunehmen, deren Führung
nicht in unserer Hand ist. *Die Delegierten ab.*
*Unten sind inzwischen Leute hereingekommen,
anarchistische Party in einer Villa.*

EINE VERWIRRTE ÄLTERE DAME *zu einem schwarzbärtigen Studenten:* Aber bitte, immerhin in einer
fremden Wohnung . . .

DER SCHWARZBÄRTIGE Fremde Wohnungen ham wa
nich mehr, Gnädige Frau!

27

EIN MÄDCHEN IN RUSSISCHER TRACHT *verteilt Kaviar mit einem Löffel:* Bitte, wer möchte?

DIE JUNGE DAME DES HAUSES Bedienen Sie sich! Jedermann soll an den Gütern der Erde teilhaben!

EIN HERR *essend:* Wie kommen Sie bloß zu dieser Delikatesse!

SCHRIFTSTELLER Die Industrie hat eben noch gute Beziehungen zu Rußland.

EIN PROFESSOR Bessere als das Proletariat.

FRANZ *ein junger Arbeiter, der gelegentlich trotzig reagiert:* Daheim, meine Mutter hat immer gsagt, vom Fleischessen falln eim die Zähn aus. Weil wir nie eins kriegt ham.

DER SCHWARZBÄRTIGE Gedenkt seiner Mutter, der Junge!

DIE VERWIRRTE DAME Finde ich aber sehr sympathisch!

DER SCHWARZBÄRTIGE *schreit der verwirrten Dame ins Ohr, als ob sie schwerhörig wäre:* Atavismus! Blödsinn!

FRANZ Mein Vater war Arbeiter. Und ich bin auch Arbeiter.

EIN BLASSER JUNGER MANN *ironisch:* Bravo!

DER ALTE PROFESSOR *zu dem Schwarzbärtigen:* Ihr Anarchismus unterscheidet sich aber merklich von dem unseres verehrten Gustav Landauer – wenn ich das sagen darf.

DER BLASSE JUNGE MANN Allerdings!

DER SCHWARZBÄRTIGE Wollen wir hoffen! Anarchismus aus klassisch-goethischem Geiste, das ist wohl die widerlichste Mischung.

DER ALTE PROFESSOR *zu dem blassen jungen Mann:* Und welches ist Ihr Vorbild – Sie haben doch sicher auch eines?

DER BLASSE JUNGE MANN Tschingiskhan, Herr Professor.

DER ALTE PROFESSOR *will alle erheitern:* Dieser junge Mann, meine verehrten Gäste, ist der neue Tschingiskhan!

DER SCHWARZBÄRTIGE *zum Professor, unvermittelt:* Geh doch nach Haus! Hau doch ab!

EIN PEDANTISCHER HERR Aber wollen wir doch bitte nicht vergessen, es handelt sich um Gesellschaftsstrukturen.

DER SCHRIFTSTELLER *ruft:* Violence! Die magische Formel der Revolution!

DAS MÄDCHEN IN RUSSISCHER TRACHT Jetzt stopf ich Ihnen aber mal den Mund!
Sie will ihn mit einem Löffel Kaviar füttern. Der blasse junge Mann hat ihr den Löffel und die Schale aus der Hand genommen und hält sie hoch.

DER BLASSE JUNGE MANN Kostet?

DIE VERWIRRTE DAME Gott, echter Kaviar – ich lebe seit Kriegsende von Stockfisch.

DER SCHRIFTSTELLER 300 das halbe Pfund, schätzungsweise.

DER PEDANTISCHE HERR Sie meinen wohl deutschen! Das Sechsfache, mindestens!

DIE DAME DES HAUSES Ach, ist doch egal, was der kostet! Ist doch ganz egal!

DER BLASSE JUNGE MANN 1000 Reichsmark!

DIE VERWIRRTE DAME Sie beköstigen sich wohl selbst?

DER BLASSE JUNGE MANN Das sind vier Monate Schwerarbeit für einen Arbeiter bei Krauss-Maffei. Komm her, Franz!

Franz tritt vor.

Es ist noch immer das bourgeoise Vorurteil der Proletarier, daß das Konsumniveau einer Klasse etwas aussagt über deren gesellschaftliche Relevanz. Solange dieses Vorurteil noch nicht bewußt gemacht und überwunden ist, ist das Proletariat nicht mündig für eine Revolution.

SCHRIFTSTELLER Tusch!

DER BLASSE JUNGE MANN Franz ist Arbeiter – Wochenlohn, Franz?

FRANZ 50 hab ich jetzt.

DER BLASSE JUNGE MANN 50. Arbeiter, Proletarier, durch Erziehung und Herkunft von der Bourgeoisie dazu bestimmt, arm, ehrlich, moralisch und ein erbärmliches Schwein zu bleiben. Aber jetzt – Achtung! *Er packt Franz am linken Fußgelenk, zieht das Bein hoch und klatscht ihm den Löffel Kaviar dick auf die Schuhsohle:* Los! Geh! Auf den Teppich! Schmier den Dreck dahin!

Er gibt ihm einen Stoß, Franz hüpft erst auf dem rechten Bein, um mit dem beschmierten nicht aufzutreten, dann geht er mit beiden Füßen über den Teppich. Die anderen stehen einen Augenblick schockiert. Jemand hat eine Schallplatte aufgelegt, Foxtrott, alle hinter Franz her, in einer grotesken Prozession.

Oben. Landauer hält einen Vortrag in der Universität. Studenten links, später auch unten.

LANDAUER Jetzt kommen manche von Ihnen und wollen uns mit den Marxisten in einen Topf werfen. Räterepublik, meinen sie, das kann doch nur so ein Gebilde aus den Lehrbüchern des Marxismus sein, und daß sie gekommen ist, haben wir dem Mechanismus der Geschichte zu verdanken, den Marx entdeckt – vielmehr: erdacht hat. Nein! Unser Sozialismus, das sei hier deutlich gesagt, hängt seiner Möglichkeit nach gar nicht von irgendeiner Form der Technik und der Bedürfnisbefriedigung ab. Der Sozialismus, wie wir ihn meinen, ist zu allen Zeiten möglich, wenn eine genügende Anzahl Menschen ihn will. Das sei den Marxisten gesagt – ich sehe da einige. Wir wissen von keiner Entwicklung, die ihn bringen muß, wir wissen von keinerlei Notwendigkeit eines solchen Naturgesetzes. Für uns besteht die Menschengeschichte nicht aus anonymen Prozessen und nicht bloß aus der Häufung vieler kleiner Massengeschehnisse und Massenunterlassungen, für uns sind die Träger der Geschichte P e r - s o n e n, und für uns gibt es auch Schuldige. – Der kennt die Apostel der Menschheit schlecht, der meint, der Glaube an die Erfüllung gehöre zu ihrem Tun. Der Glaube an die heilige Wahrheit gehört dazu und die Verzweiflung an den Menschen und das Gefühl der Unmöglichkeit! Wo über die Menschheit Großes, Umschwung und Neuerung gekommen ist, da ist es das Unmögliche und Unglaubliche, das ist eben das Selbstverständliche gewesen, was die Wendung gebracht hat. Aber der Marxismus ist der Philister, und darum verweist er immer voller Hohn und Triumph auf Fehlschläge. Gegen nichts trägt er mehr Verachtung zur Schau als gegen das, was er Experimente oder gescheiterte Gründungen nennt. Was der Nationalbourgeois aus dem deutschen Studenten gemacht hat ...

ZWISCHENRUF Anständige Deutsche!

LANDAUER ... das haben die Marxisten aus weiten Schichten des Proletariats gemacht: feigherzige Leutchen ohne Jugend, ohne Wagemut ...

ZWISCHENRUF Langemarck!

LANDAUER ... ohne Sektierertum, ohne Ketzerei, ohne Originalität und Absonderung.

Proteste.

Lassen Sie mich doch weiterreden! Sie brauchen doch die Marxisten nicht zu verteidigen! Es stünde besser um den Sozialismus und um unser Volk, wenn wir statt der systematischen Dummheit, die ihr Marxisten eure Wissenschaft nennt, die feuerköpfigen Dummheiten der Hitzigen und Überschäumenden hätten, die ihr nicht ausstehen könnt. Jawohl, wir wollen machen, was ihr Experimente nennt, wir wollen versuchen, wir wollen aus dem Herzen heraus schaffen und tun, wir wollen denn, wenn es sein muß, Schiffbruch leiden, bis wir den Sieg haben und Land sehen!

ZWISCHENRUF Das gelobte Land von Moses Itzig!

Gelächter. Landauer nimmt sein Manuskript und geht ab.

Unten. Die Studenten haben sich Judennasen vor-
gebunden und deuten mit komisch übertriebenen
Gesten und Bewegungen Juden an. Einer von ihnen
wird in die Luft geworfen, dann auf den Boden ge-
legt und mit Bier übergossen.

ERSTER STUDENT Die Zwiebel ist des Juden Speise!

ZWEITER STUDENT Der Nathan machts auf seine
    Weise.

ERSTER STUDENT Und der Zinken im Gesich,
    ist das keine Nase nicht?

EINER *jammert:* O Moses! O Moses!
    Ich mach mich in die Hoses!

ERSTER STUDENT Horch wer kommt von draußen
    rein, –

ALLE *brüllen:* Juppheidi, juppheida –

ERSTER STUDENT – wird wohl der Moische Landauer
    sein, –

ALLE Juppheidi, heida!

ZWEITER STUDENT Frißt kein Schwein –

ALLE *brüllen:* Das Judenschwein!

EINIGE Redet, redet mit die Händ,
    so kommt er dahergerennt!

EIN ANDERER Und der kleine Mühsam schreit –
    Ieberall –

ALLE –unsere Leit!

EIN STUDENT Und der kleine Toller-Cohn
    fühlt sich als Messias schon!

DER STUDENT *strampelnd auf dem Boden:* O Moses!
    O Moses!
    Ich mach mich in die Hoses!

EINER *zählt die herumhüpfenden und mauschelnden*

Studenten ab: David, Hannoch, Lewien, Cohn,
Abraham, Isaak, Jakobsohn,
Nierenstein, Ohrenschmalz –

EINER *brüllt:* Hopfen und Malz, Gott erhalts!

ALLE Jeiteles und Pleiteles,
Teideles und Schneiteles,

DER ZWEITE STUDENT
Und der Aaron Veilchenduft
hat die Sarah angepufft!

DER STUDENT AUF DEM BODEN
O Moses! O Moses!
Ich mach mich in die Hoses!

ERSTER STUDENT *betet:*
Wie aus Sodom und Gomorrher
so laß auch auf diese Schnorrer
jetzt vom Himmel ebenfalls
regnen heißes Schweineschmalz,
laß die koschern Salomos
schmoren in der Bratensoß!
*Sie übergießen den Studenten auf dem Boden mit
Bier.*
Amen.

DER STUDENT AUF DEM BODEN *jammert:*
O Moses! O Moses!
Sie schleifen den am Boden Liegenden hinaus.

*Rechts. Chinesisches Restaurant. Landauer, Dr.
Lipp, Mühsam, Toller, Olga.*

MÜHSAM Ist aber ulkig, – lauter Jidden, die den Bayern den Glanz der neuen Zeit anpolieren. Einer –
zwei – drei – – und ein Antisemit!

DR. LIPP *wehrt ab:* Nicht mal im Spaß! Ich habe tiefes Verständnis für die intellektuelle Gebrochenheit des jüdischen Volkes.

LANDAUER Im Sozialismus wird es natürlich kein Judenproblem mehr geben.

TOLLER Bei uns zu Hause, damals in Posen, da waren die deutschen Spießer und die jüdischen Spießer die Hüter deutscher Kultur. Die Deutschen und die Juden ließen Kaiser Wilhelm hochleben. Die Polacken, das war Kain, der den Abel erschlagen hatte.

OLGA Von einer jüdischen Rasse in diesem Sinn kann man sowieso nicht sprechen. Darüber sind wir uns wohl einig.

MÜHSAM *spöttisch zu Olga:* Einen gewissen Unterschied wirst du doch wohl gemerkt haben.

DR. LIPP *pikiert:* Bitte, Genosse Mühsam!

LANDAUER *hat ein Manuskript und liest vor:* Er hat die Welt als Dichter gesehn ...

MÜHSAM Themawechsel!

LANDAUER ... und das heißt: ohne Ideologie. Nicht als Philosoph, nicht als Historiker, und schon gar nicht als Moralist! Shakespeare ist wie die Natur selbst – anarchistisch. Er findet seine Kraft und seine Sicherheit nicht in einem System, sondern in einer Vielheit von Bildern und Gestalten. Wo sollen wir ihn denn fassen? Wo spricht er sich persönlich aus?

MÜHSAM *mit der Speisekarte, leise:* Was ist Fing-shu-ming?

DR. LIPP Mit Morcheln.

MÜHSAM Gibts auch nicht.

LANDAUER In den abgründigen Narren? Prospero? Oder der konservative Coriolan? Sehn Sie – die Proteusnatur des großen Dichters: mit aller Eindringlichkeit zeigt er das Denken und Empfinden eines Menschen, gestaltet er einen Menschen, als stecke er selber darin, – und gleich darauf schlüpft er in einen anderen und verbindet sich ebenso untrennbar mit diesem. Dichter sind nun einmal ideologisch labil, – und gerade die größten.

MÜHSAM *zu Toller:* Na, und du, Dichter?

TOLLER *die Frage ist ihm peinlich:* Ich?

MÜHSAM Von Shakespeare reden wir grade!

OLGA Es gibt genug Gegenbeispiele! Moralisch und politisch engagierte . . .

DR. LIPP Chateaubriand!

MÜHSAM *andächtig:* Mit Spargel!

DR. LIPP *lächelt Toller an:* Und unser Toller!

MÜHSAM *zu Toller:* Wenn du ein Revoluzzerstück schreiben würdest, zum Beispiel . . .

DR. LIPP Das sollten Sie unbedingt!

OLGA Man muß die richtige Haltung haben, sonst kann man überhaupt nichts Anständiges schreiben!

LANDAUER Simplifizieren Sie da nicht ein bißchen?

OLGA Wir können es uns heute nicht leisten, labil zu sein.

LANDAUER *ironisch:* Wie Shakespeare!

OLGA Ja, wie Shakespeare! Wir müssen uns entscheiden! Dichtung – das heißt heute immer Tendenz! Oder es bleibt unverbindliches Gerede!

TOLLER Als Künstler muß ich auch die Gegenseite verstehen.

OLGA Auch Ludendorff?

TOLLER Ja, auch.

MÜHSAM Mir ist der überhaupt sehr verständlich, der brave deutsche Mann!

OLGA *prononciert:* Mir nicht!

MÜHSAM Nee?

TOLLER Sie hat zwei höhere Offiziere in ihrer Familie!

MÜHSAM Aha!

LANDAUER *versucht einzulenken:* Gegen die Sünden der eigenen Klasse reagiert man besonders empfindlich.

MÜHSAM Olga . . . ist leider nicht von der Wolga.

TOLLER Wenn Leben und Denken in einer Person vollkommen eins werden – das ist das Höchste. Aber dazu muß man die bürgerliche Welt verlassen.

OLGA Du brauchst mich nicht zu verteidigen!

MÜHSAM Macht er doch gern, Hedwig!

LANDAUER *zu Olga lächelnd:* Laß dich nicht ärgern!

MÜHSAM Die Kleine in der Türkenkaserne . . .

TOLLER Du, laß das!

MÜHSAM Da hat er eine in der Türkenkaserne aufgelesen, da waren dreißig Grenadiere drübergerutscht. Da war die Dame natürlich nicht mehr so bei Kräften. Unser barmherziger Samariter geht mit ihr aufs Revier, pflanzt sie draußen auf ne Bank, um den Genossen Doktor zu holen, und wie er zurückkommt mit dem Doktor . . .

TOLLER *will abwehren:* Ja, das war naiv von mir! Ja! Weiß schon!

MÜHSAM . . . ist sie abgehaun – mit so nem Bullen.

OLGA Demoralisiert durch Krieg und Militarismus.

TOLLER *nickt:* Man muß es den Menschen sagen, immer wieder, daß sie unglücklich sind – nicht böse. Hart geworden durch Krieg und Ausbeutung und Schmutz –

MÜHSAM *um Olga zu ärgern:* Weißte, Hedwig, Menschheitserlösung, das ist son alter Trick von den Juden.

OLGA Juden!

TOLLER Ist Leviné eigentlich auch Jude?

MÜHSAM Sechsmal. Seine Frau ist ne Rebizze.

OLGA Und wenn schon! Ihr seid doch wohl das eitelste Volk – könnt ihr denn n u r über euch reden?

Unten haben sich Zivilisten gesammelt. Plötzlich wirft einer einen Stein ins Restaurant. – Landauer, Mühsam, Dr. Lipp, Toller und Olga gehen weg.

Links. Der entlassene Verwalter der Residenz, Gradl, auf einer Bank.

GRADL Das Lastauto, sechs Tage war es hinterstellt, direkt vor meiner Dienstwohnung. Ich hab die Herrn Chauffeure, die sind da herumgesessen, die Roten, die Herrn Chauffeure, die habe ich mehrmals ersucht, sie möchten doch wegfahren. Aber die haben sich nicht gerührt. Sind einfach sitzengeblieben. Da bin ich zu Herrn Geheimrat Höglauer gegangen, der war noch im Amt, und habe ihm gesagt, Herr Geheimrat ich möchte Sie bitten, das Lastauto entfernen zu lassen wegen der Leichen, die liegen schon ein paar Tage darauf, sechs Tage sinds jetzt, und sie fangen schon stark an zu riechen. Da hat der Herr Geheimrat erwidert, das kann er nicht, weil die Roten ihm nicht folgen und das kann ich doch eher, weil, die Leute kenne ich und ich habe bei ihnen eine Autorität als Schloßverwalter. So hat er sich geäußert. Wenn sie auch immer Hausmeister zu mir sagen. Ich war ja nicht Hausmeister. In dem Palais hat es ja niemals einen Hausmeister gegeben. Ein Bein hat hochgestanden, hinten auf dem Auto, direkt hoch, mit einem Lackschuh, direkt hoch. Ich habe gesagt, es wird mir nicht besonders schwer fallen, sofern ich den Chauffeuren Zigaretten geben könnte. Der Herr Geheimrat hat darauf erwidert, geben Sie ihnen halt welche. Das kann ich nicht, Herr Geheimrat, hab ich gesagt, ich besitze keine, aber ich wüßte schon, wo ich welche bekomme. Die sind bloß sehr teuer. Da hat der Herr Geheimrat sofort geantwortet: schaun Sie, Gradl, daß Sie Zigaretten bekommen und was sie kosten, bezahle ich. Hauptsache, daß die Toten weiterkommen. Bei der Nacht sind die Roten auf das Lastauto gestiegen und haben den Toten teilweise sogar Schuhe und Kleider ausgezogen. Ich bin zum roten Garnisonsrat, weil ich schon gewußt hab, daß der Zigaretten hat. Eine Schachtel mit hundert Stück habe ich verlangt, und gefragt, was sie kosten. Zwanzig Mark, hat der Garnisonsrat gesagt. Dann bin ich wieder zum Herrn Geheimrat gegangen und habe ihm dieses mitgeteilt, worauf er mir sofort die zwanzig Mark gegeben hat. Mit diesen bin ich wieder zum Garnisonsrat und habe mir eine Schachtel Zigaretten sowie eine Quittung über zwanzig Mark geben lassen. Dann bin ich mit der Schachtel Zigaretten zu den Chauffeuren und habe ihnen gesagt, wenn sie die Toten zum Ostfriedhof fahren, bekommen sie hundert Zigaretten. Die wollen wir erst sehen, haben die Chauffeure gesagt, wir glauben nur, was wir sehen. Da habe ich ihnen die Zigaretten gezeigt. Das hat gewirkt, wie ein Blitzschlag. Sie haben gleich die ganze Schachtel haben wollen, ich habe aber gesagt, die Hälfte bekommen sie gleich, das waren fünfzig, und die andere Hälfte, wenn sie wiederkommen, nach getaner Arbeit. Da sind sie abgefahren. Nachher habe ich den Obmann vom Friedhof angerufen, weil, den kenn ich von früher, vom Kriege, er soll das Tor aufmachen, sonst laden sie die Toten auf der Straße ab. So wenig Ehrfurcht des Todes haben sie gezeigt, daß sie das Hinterbrett hochgezogen haben und den Kasten vom Auto hochgekurbelt, so daß die Toten heruntergerutscht sind. Wie sie weitergefahren sind, hat es noch einem den Kopf zerdrückt und ein Arm ist im Rad hängengeblieben, daß er abgerissen ist. Nachher haben sie gleich die Zigaretten verlangt. Die habe ich ihnen gegeben. Und sie haben gesagt, wenn ich wieder was zu fahren habe, sind sie sofort bereit. Eins möchte ich bloß wissen, ob der Herr Geheimrat die verauslagten zwanzig Mark, ob man die zurückerstattet hat. Eine Ordnung wie früher, in dem Sinn, wie man sagt: Ordnung, das gibts ja nicht mehr.

Rechts. Schwabinger Brettlbühne.

CONFÉRENCIER *in der kabarettistisch angedeuteten Maske Tollers, um den Kopf einen Blechheiligenschein:* O Mensch! »Brüder jetzt eines Schicksals!« — *Er springt nach unten* — Da druckt mich doch was! — *faßt sich an den Kopf, tut, als bemerke er den Heiligenschein nicht* — nein, doch nicht! Ich hab schon befürchtet, ich hab wieder einen Stahlhelm auf. — Nix! Nie wieder Krieg! Wir bleiben in der schönen Heimat! — *singt* —

Auf der Alm, da steht ne Kuh,
macht ihr Aaa-uge auf und zu.
Hinter der Kuh, da steht ein Schwein,
schaut der Kuh ins Aaa-uge rein.

Also, meine Damen und Herrn, Genoskis, das Programm geht weiter, Deutschland ist befreit, ich und die Arbeitermassen, wir haben aufgeräumt. »Bitte«, haben da eben noch zwei Herren gewimmert, »wir wollten doch nur euer Bestes!« — »Wissen wir!« haben die Arbeiter gesagt, »aber gerade das geben wir nicht her!« Die gewissen Herrn kennen Sie — die Großkopfeten —

Rechts im Scheinwerfer, »Noske«.

Kennen Sie nicht? Die Stimme?

»Noske« gibt unartikulierte Kommandos.

Sie haben recht, Sie haben ihn erkannt, es ist der deutsche Kriegsminister Noske! Und dieser feine Herr —

Rechts »Ebert« auf einem Riesenmaikäfer.

»EBERT« Sagen sie mal, Noske ...

»NOSKE« Jawohl, Herr Reichspräsident!

CONFÉRENCIER, »EBERT« UND »NOSKE« *singen:*

Jawohl, meine Herrn.

Das hören wir so gern!

Jawoll! Jawoll! Jawoll!

CONFÉRENCIER Jawoll, Sie haben richtig geraten, es ist der Reichspräsident Ebert, höchstpersönlich. Diesen beiden Herren ist es dank unserer Revolution, dank unserem Genossen Toller, dem Dichter der Menschlichkeit, – *mit übertriebener Bescheidenheit* – keine Ovationen, bitte – auf unserer Erde zu ungemütlich geworden, nee, sagt Ebert, nee –

»EBERT« *in übertriebenem Dialekt:* Ik dampfe ab. Ik brauche mal n ordentlichen Urlaub.

»NOSKE« Doch nich etwa mit dem Dienstfahrzeug?

»EBERT« Bitte keine Verleumdung des Reichspräsidenten! Wenn ik verreise, dann nur zu Gunsten des ganzen deutschen Volkes.

»NOSKE« Da wird dir das deutsche Volk aber für dankbar sein, Ebert!

»EBERT« Immer.

»NOSKE« Vor allen Dingen für die Abreise. Wo solls denn hingehn? Nach Bayern?

»EBERT« Nee! In Erholung! In Bayern is es mir zu Mühsam. Da wirds immer Toller.

»NOSKE« Aber Lan-dauer'ts nich mehr.

»EBERT« Trotzdem. So lang kann ik nich warten. Die haben mir schon Hoffmannstropfen verschrieben, in Bamberg, aber nützen tun se nischt. Ik hab immer noch egalwech kalte Füße.

»NOSKE« Wo willste denn nu wirklich hin?

»EBERT« Wos keenen Arbeiter- und Soldatenrat gibt.

»NOSKE« Aha! Auf die Jungfrau klettern!

CONFÉRENCIER *schwungvoll:* Und –

CONFÉRENCIER, »EBERT« UND »NOSKE« *schunkeln und singen:*

Ich weilte jüngst mal in der Schweiz
und fand dort ganz besondern Reiz,
denn auf der Jungfrau wars so schön,
ich wollte gar nicht mehr runter gehn!

»EBERT« Nee. Da leg ik noch n paar Kilometer druff und gondel zum Mond.

»Noske« winkt in die Kulisse. Ein zweiter Riesen-maikäfer schwebt herein. »Noske« setzt sich drauf.

»NOSKE« Na da laß mich mal lieber mit, Ebert!

»EBERT« Nee, da brauch ik keinen Kriegsminister, da oben.

»NOSKE« Na, wer weess! Ik hab so meine Informationen.

»EBERT« Was für welche?

»NOSKE« Haste nich gehört? Der Toller hat doch gesagt, er greift jetzt nach den Sternen.

»EBERT« *erleichtert:* Ach so! Das is doch n Dichter, Noske! Det brauchste bei dem nich wörtlich nehmen! *Er schwebt ab. Noske schwebt hinterher.*

CONFÉRENCIER, »EBERT« UND »NOSKE« *singen:*

Vom Hamburg nach Kiel,
das kostet nicht viel
im Automobil.

Unten. Wittelsbachpalais. Toller, Leviné.

TOLLER Leviné – seien Sie doch nicht dogmatisch! Ich bin froh, daß Sie gekommen sind, endlich. Lassen

Sie uns über alles reden! Wir dürfen nicht diese Bewegung in ein starres System zwängen. Es sind neue Ideen da, neue Impulse –

LEVINÉ Beantworten Sie mir ein paar Fragen?

TOLLER Wir haben keine Geheimnisse vor Ihnen. Vor niemand.

LEVINÉ Sie sprechen immer von der Roten Armee – Wieso rot?

TOLLER Ja – wir haben eine Rote Armee ohne Kommunisten! Aber wer ist denn schuld dran? Die Frage ist doch eher peinlich für Sie!

LEVINÉ Für uns?

TOLLER Wir haben das gesamte Proletariat hinter uns, und Sie bleiben stur, Sie sabotieren alles, was wir machen!

LEVINÉ Die Gründe dafür kennen Sie aus der Roten Fahne.

TOLLER Ich habe in der letzten Sitzung die gleichen Forderungen gestellt, die Sie auch stellen, wußten Sie das nicht?

LEVINÉ Natürlich.

TOLLER Und habe sie auch durchgebracht! Gegen die Sozis! Und dann lassen ausgerechnet Sie uns im Stich! Was wollen Sie denn eigentlich noch?
Pause.

LEVINÉ Gestern war ein Freund von Ihnen bei mir. Er hat einen interessanten Vorschlag gemacht – ich meine: interessant insofern, als er für Ihre Situation charakteristisch ist.

TOLLER Wer denn? Was denn?

LEVINÉ Ein politischer Freund – Mühsam.

TOLLER *versucht seine Überraschung zu verbergen:*
Ach, – ja.

LEVINÉ Sein Vorschlag: wir, die Kommunisten, sollten über Nacht alle Mitglieder der Räteregierung verhaften, die Räterepublik liquidieren – einschließlich Mühsam selbst. – Das überrascht Sie doch nicht? –

TOLLER Typisch Mühsam!

LEVINÉ Dann – Vorschlag Mühsam – sollten wir endlich tun, was hier getan werden muß, und zwar sofort!

TOLLER Ach, wissen Sie, Mühsam –

LEVINÉ Abgesehn von Herrn Mühsam – auf den Gedanken hätten wir selbst ja auch schon kommen können, finden Sie nicht?

TOLLER *jetzt ganz sicher:* Sie die Führung? Da überschätzen Sie Ihre Popularität, Leviné!

LEVINÉ Sie müßten natürlich – einverstanden sein.

TOLLER *ironisch, seiner Sache ganz sicher:* Achso! Und darauf warten Sie jetzt? Daß ich mitmache! Deshalb sind Sie überhaupt gekommen?

LEVINÉ Ich habe Mühsam gesagt . . .

TOLLER Hören Sie doch auf mit diesen Spekulationen, Leviné! Lassen Sie uns vernünftig diskutieren! *Pause.*

LEVINÉ Haben Sie die Bourgeoisie entwaffnet?

TOLLER Die Bekanntmachungen sind angeschlagen. Wir haben die Waffen in vierundzwanzig Stunden.

LEVINÉ Sind die Großgrundbesitzer enteignet?

TOLLER Wir erwarten einen Bericht von Gandorfer in dieser Frage.

LEVINÉ Gandorfer hat erklärt, Grundstücke bis zu tausend Tagwerk dürfen nicht enteignet werden.

TOLLER Ich weiß nicht, wieviel Boden der Landwirt braucht, damit er existieren kann.

LEVINÉ Wenn es Sie interessiert: Gandorfer besitzt grade tausend Tagwerk.

TOLLER *heftig:* Wir stehen hinter Gandorfer!

LEVINÉ Sind die Zeitungen verstaatlicht?

TOLLER Es dürfen keine Hetzartikel mehr gegen uns erscheinen – bloß noch in Ihrer Roten Fahne, da sind wir tolerant bis zur Selbstaufgabe.

LEVINÉ Haben Sie in Bogenhausen und Solln die Bourgeoisie aus den Villen raus? Arbeiter in die Häuser?

TOLLER Für Wohnungsfragen ist Genosse Hagemeister verantwortlich. Die Kommission arbeitet seit gestern.

LEVINÉ Haben Sie Geiseln aus der Bourgeoisie genommen?

TOLLER Geiseln, Nein! Keine Geiseln! Man soll uns nicht vorwerfen, – nein!

LEVINÉ Haben Sie das Bankgeheimnis aufgehoben?

TOLLER Nein.

LEVINÉ Die Privatkonten sperren lassen?

TOLLER Das System von Sylvio Gesell sieht ja eine grundsätzliche Neuordnung des Finanzwesens vor. *Was er jetzt sagt, versteht er nicht.*
Wir werden aber zur absoluten Währung übergehn.

LEVINÉ Die Kleinsparer sind aber nervös geworden wegen Ihrer Finanzpolitik.

TOLLER Leider. Durch das Gerücht, wir würden die Konten der kleinen Sparer beschlagnahmen.

LEVINÉ Warum klärt man die Bevölkerung nicht auf?

TOLLER Sind wir dabei. Wir haben einige Leute zu den Banken geschickt.

LEVINÉ Hat man die Löhne der ungelernten Arbeiter und der Landarbeiter verdoppelt?

TOLLER Das wäre doch zu schematisch! Natürlich werden wir ein neues Lohnsystem . . . – Leviné, Sie sind Berufspolitiker, ich nicht! Ich habe auch gar nicht den Ehrgeiz, Berufspolitiker zu sein! Ich bin an diesen Platz gestellt worden, weil man mich brauchte – die Arbeiter brauchten einen Führer, darum bin ich hier. Sie haben die revolutionäre Erfahrung! Und darum brauchen wir Ihre Mitarbeit.

LEVINÉ *hat einen Zettel aus der Tasche gezogen:* Darf ich Ihnen das vorlesen? Ein Telegramm Ihres Doktor Lipp.

TOLLER An Lenin?

LEVINÉ Von der Funkstation, – eine Abschrift.

TOLLER Sie bespitzeln uns also!

LEVINÉ Es enthält Ihr komplettes Regierungsprogramm, Herr Toller – formuliert durch Ihren Volkskommissar für das Auswärtige, Herrn Doktor Lipp.

TOLLER Was hat Lipp . . .

LEVINÉ *liest vor:* »Proletariat Oberbayerns glücklich vereint. Sozialisten plus Unabhängige plus Kommunisten fest als Hammer zusammengeschlossen, mit Bauernbund einig.« Eine recht optimistische Interpretation der Lage! – »Bamberg Sitz des

Flüchtlings Hoffmann, welcher aus meinem Ministerium den Abortschlüssel mitgenommen hat.« –
Ich lese korrekt. – »Die Politik, deren Handlanger Hoffmann ist, geht dahin, uns vom Norden her abzuschneiden und uns gleichzeitig bei der Entente als Bluthunde zu verdächtigen. Dabei triefen die haarigen Gorillahände Noskes von Blut. Wir erhalten Lebensmittel in reichen Mengen von Italien. Wir wollen den Frieden für immer, Emanuel Kant, Vom Ewigen Frieden, 1795, Thesen zwei bis fünf.«

TOLLER *reißt ihm das Blatt aus der Hand*: An wen soll der Lipp das geschrieben haben?

LEVINÉ O, Verzeihung! Es ist adressiert an den Genossen Papst, Petersdom, Rom.
Toller rasch ab. Dann Leviné.

Rechts Mühsam am Klavier. Links Publikum an einem Tisch.

MÜHSAM *spielt eine Kadenz*: Der Lampenputzer. – Der deutschen Sozialdemokratie gewidmet.
Gelächter.
War einmal ein Revoluzzer,
im Zivilstand Lampenputzer,
ging im Revoluzzerschritt
mit den Revoluzzern mit.

Und er schreit: ich revolüzze!
Und die Revolüzzermütze
schob er auf das linke Ohr,
kam sich höchst gefährlich vor.

Doch die Revoluzzer schritten
mitten auf der Straßen Mitten,
wo er sonsten unverdrutzt
alle Gaslaternen putzt.

Sie vom Boden zu entfernen
rupfte man die Gaslaternen
aus dem Straßenpflaster aus,
zwecks des Barrikadenbaus.

Aber unser Revoluzzer
schrie: Ich bin der Lampenputzer
dieses guten Leuchtelichts.
Bitte, bitte, tut ihm nichts!

Wenn wir ihn' das Licht ausdrehn,
kann kein Bürger nichts mehr sehn.
Laßt die Lampen stehn, ich bitt!
Denn sonst spiel ich nicht mehr mit!

EIN ÄLTERER ARBEITER *am Biertisch, steht auf:* Du
bist ja selber bloß ein Lampenputzer, Mühsam!
Und mir Deppen müssn es dann ausbaden! Mir
sind dann die Deppen!

MÜHSAM Ich war schon öfter im Gefängnis als du,
Genosse!

EIN MANN MIT BAYERISCHEM HUT Aber ihr habts ja
überhaupt nix in Sicht, mit eurer Menschheitsbe-
glückung! Ihr seids bloß unzufrieden mit den be-
stehenden Verhältnissen! Aber weiter habt ihr nix
in Sicht, überhaupt nix.

EIN KLEINER DÜNNER MANN Nichts Konstruktives!

EIN GRANTIGER MANN Ruhe! Weiter mit der Musik!

EIN MANN MIT GLATZE Aber das sind Ansätze, daß überhaupt der Mensch anfangt, daß er sich Gedanken macht! Daß er überhaupt merkt, was gespielt wird.

EIN MANN, DER SICH WICHTIG MACHT Der Amerikaner! Der wird das gar nicht zulassen. Das sag ich euch! Der hat seine Dollar investiert. *Legt den Arm um die Kellnerin:* Na Anni, wie ist es mit der Kollektivierung der Mutterbrust?

DIE KELLNERIN *wehrt ihn ab:* Kollektiviert wird nicht!

Gelächter.

MÜHSAM *spielt und singt weiter:*
Doch die Revoluzzer lachten
und die Gaslaternen krachten,
und der Lampenputzer schlich
fort und weinte bitterlich.

Dann ist er zu Haus geblieben
und hat dort ein Buch geschrieben,
nämlich wie man revoluzzt
und dabei noch Lampen putzt.

Oben. Wittelsbachpalais. Dr. Lipp, Toller, Olga, Landauer.

DR. LIPP Aber Herr Vorsitzender! Der Papst mußte doch informiert werden!

TOLLER *gibt ihm den Zettel:* Das kann doch nicht Ihr Text sein!

OLGA Wie ist Leviné denn, persönlich?

LANDAUER Hoffentlich haben Sie sich nicht einwik-
keln lassen!

DR. LIPP *hat den Zettel gelesen:* Ich stelle erleichtert
fest, das ist präzis mein Wortlaut.

MÜHSAM *ist dazu gekommen:* Dann können wir ja
den päpstlichen Segen schon einplanen!

TOLLER *heftig zu Mühsam:* Mach keine blöden
Witze! Mit dir bin ich fertig! Du bist ein Schwein!
Das dreckigste, mieseste, verlogenste Schwein! Ein
charakterloser Lump!

LANDAUER Aber Toller!

TOLLER Der hat uns verkauft, an die KP!

MÜHSAM Von Verkaufen keine Rede – es war ein
Gratisangebot, aber der wollte uns nicht mal ge-
schenkt!

TOLLER Ein schäbiger, mieser, feiger Verrat! Wie steh
ich denn da! Ich versuche, Leviné zu gewinnen und
er sagt mir lächelnd: Mühsam war bei mir – Ihr
Freund Mühsam – mein Freund Mühsam!

DR. LIPP Ich weiß nicht, um was es sich hier im einzel-
nen handelt ...

TOLLER Die KP sollte uns alle verhaften!

MÜHSAM Ich fand die Idee ganz ulkig.

TOLLER Ulkig! Du gehst da hin und lieferst uns ans
Messer, unsere Ideen, unsere Bewegung, alles, woran wir glauben, und findest das ulkig!

MÜHSAM *bleibt ruhig:* Das finde ich nicht ulkig, ich
fand die Idee ulkig.

TOLLER *immer aufgebrachter:* Wenn du die Idee
ulkig findest, findest du auch den Verrat ulkig!

DR. LIPP Um was handelt es sich eigentlich?

LANDAUER Ich muß Erich in Schutz nehmen. Wir kennen doch seine Ideen, die haben doch immer einen gewissen Eigenwert.

OLGA *bissig:* »Eigenwert« ist unmarxistisch.

LANDAUER Ich muß mich wohl erst auf Ihre Terminologie umschulen lassen.

DR. LIPP Um was handelt es sich?

OLGA Nicht eine Frage der Terminologie, sondern des Bewußtseins!

TOLLER Meine Freunde verkaufen mich! Ich habe mich auf sie verlassen und sie verkaufen mich!

OLGA In der Stadt geht das Gerücht, die Sozis planen einen Putsch gegen uns.

MÜHSAM Da geh ich doch lieber zu den Linken in Schutzhaft.

DR. LIPP Auf jeden Fall war es sehr undiplomatisch! Da wir die Gewaltidee doch in keinem Fall bejahen . . .

OLGA *zu Toller:* Ich finde, Mühsam schätzt die Situation im Ganzen realistischer ein als du. Ohne die Kommunisten ist alles illusorisch.

TOLLER *wütend:* Du betest diese Russen ja an!

OLGA Es geht mir nicht um die Person, das solltest du inzwischen wissen.

TOLLER Weiß ich! Es geht dir auch nicht um mich! Um niemand geht es dir! Wenn man euch in die Politik läßt, dann seid ihr gar nicht mehr zu halten! Am liebsten rennt ihr gleich mit dem Messer los!

OLGA Wer – »ihr«?

TOLLER Pensionatstöchter!

OLGA Dann kann ich ja gehn.

TOLLER Geh doch! Ja! Geh!

Olga bleibt.

LANDAUER Lieber Freund – wenn wir die Ausein-andersetzung auf ihren sachlichen Kern reduzieren könnten –

TOLLER Der sachliche Kern ist: daß mich Mühsam verraten hat, daß ich allein gelassen werde von euch, meinen Freunden – meine angeblichen Freun-de sind Verräter und Idioten! Und ich muß das aushalten und durchstehen, und alles, wozu ich noch Kraft habe ist: euch alle rauszuschmeißen, euch alle! Reinen Tisch zu machen! Weg mit euch! Weg! Weg! Weg! Ich kann euch nicht mehr sehn! Ihr kotzt mich an! Alle miteinander!

LANDAUER Sie sind jetzt begreiflicherweise aufge-regt, wegen dem Vorfall, lieber Toller – ich rufe Sie heute nachmittag an. *Ab mit Mühsam und Olga.*

Toller erschöpft, lehnt mit dem Gesicht zur Wand.

DR. LIPP *nach einer langen Pause:* Mein lieber con-frère! – Nehmen Sie doch Vernunft an!

TOLLER Lipp ... ich habe rasende Kopfschmerzen, Lipp!

DR. LIPP *nimmt eine Nelke aus der oberen Jacken-tasche und reicht sie ihm hin:* Meine Sekretärin hat sie über ihren Schwager aus Bozen besorgt – um diese Jahreszeit sehr selten.

TOLLER *nimmt sich zusammen und ist jetzt wieder ganz beherrscht:* Herr Doktor Lipp, Sie werden einsehen, daß Sie unter diesen Umständen – nach diesem Vorfall mit dem Telegramm nicht im Amt bleiben können. Der Text Ihrer Erklärung wird von uns vorbereitet. Ich erwarte von Ihnen, daß Sie Ihr Büro bis heute abend geräumt haben.

DR. LIPP Aber doch nicht für diesen unangenehmen Herrn Mühsam . . .?

TOLLER *schreit ihn an:* Du gehörst in die Klappsmühle!

DR. LIPP *zupft an seinem Rockaufschlag:* Für die Revolution tue ich alles.

Er geht hinaus.

Unten. Verteilung von Waffen an streikende Arbeiter.

ARBEITER *singen:*
Unter den flatternden roten Fahnen
stehn wir zusammen in jeder Fabrik,
alle, die wollen, alle, die ahnen
das Dämmern der Arbeiterrepublik.
Uns schreckt der Tod nicht der roten Legionen,
die Noskes Söldlinge mordeten hin.
Wir gehn im Gleichschritt mit all den Millionen,
die rings auf Erden folgen Lenin.
Hoch Lenin!
    Wir sind die Rote Garde,
    die, zu jedem Kampf bereit,
    Bahn bricht zu Macht und Herrlichkeit
    dem Proletariat.
Gefoltert, geknechtet, geschmäht und geschlagen,
Karrengaul Molochs, Arbeitervolk,
nach so viel Hunger- und Elendsjahren

recke dich endlich als Löwe empor!
Jage die Wuch'rer, Steuerbetrüger,
jag die Faschisten zum Lande hinaus
und bau auf Äckern, Fabriken und Gruben
der freien Arbeiter herrliches Haus.
Reck dich auf!
    Her zur Roten Garde,
    die, zum letzten Kampf bereit
    einst mit Waffenmacht befreit,
    dich, Proletariat!

Rechts Ebert. Links Noske. Sie telefonieren.

EBERT Sagen Sie mal, Noske –

NOSKE Ja, Herr Reichspräsident?

EBERT Die Münchner Vorgänge, Noske – machen mir von Tag zu Tag mehr Sorge. Was schlagen Sie vor? Sollen wir intervenieren?

NOSKE Die Regierung Hoffmann hat uns bisher nicht um Hilfe gebeten.

EBERT Aber wir können doch nicht länger zusehen, Noske!

NOSKE Hoffmann sagt, die Mißstimmung in München wächst, er hofft, die Bande wird durch einen Putsch beseitigt.

EBERT Und wenn der schiefgeht, Noske?

NOSKE Dann schaffen wir das mit der Reichswehr.

EBERT Wie lange brauchen Sie denn dazu, schätzungsweise?

NOSKE Fünf bis sechs Tage,

EBERT Danke, Noske!

NOSKE Herr Reichspräsident!

Unten. Mühsam, im Schlafanzug, wird von Männern weggeschleppt. Er wehrt sich.

MÜHSAM Schweinebande! – Einen so früh ausm Bett – Was für welche seid ihr denn? Weiße oder Rote? Laßt mich doch erst mal die Brille aufsetzen – – *Einer der Männer hat seinen Mantel ausgezogen und wirft ihn Mühsam über die Schultern. Sie fesseln ihn damit. Mühsam sieht jetzt, daß der Mann eine Leutnantsuniform trägt.* – Ach so, aus der Ecke ... Gibt das nen Nahkampforden? *Einzelne Bürger sehen stumm und bewegungslos zu.* – Wo solls hingehn? Bamberg – Ohne Billett? Mensch, da mach ich mich doch strafbar! Ich bin nich so fürs Illegale! Die kriegens fertig und buchten mich ein! Wegen Fahrpreishinterziehung! – Nee, kommt nich in Frage! *Er läßt sich fallen. Sie drehen ihm die Arme nach hinten und schleifen ihn weiter. Mühsam, plötzlich in Angst* – Ihr werdet mir doch nich zur Wasserleiche machen wie Rosa – oder –
Ab.

Rechts kommen Arbeiter. Oben Leviné. Er hält eine Rede in der Räteversammlung. Unten verdrücken sich die Bürger. Die Bühne füllt sich mehr und mehr mit Arbeitern.

LEVINÉ Unter der Regierung Toller ist es möglich, daß eine Handvoll Banditen nachts in die Häuser dringt, Leute herausholt und nach Bamberg verschleppt! Fast wäre denen der Putsch gelungen, – wenn die Arbeiter nicht aufgepaßt hätten! Bravo,

Münchner Arbeiter! Ihr habt in dieser Nacht den Realitätssinn und die Tatkraft gezeigt, die diesen Schwabinger Möchte-gern-Sozialisten abgeht! Die reden und regieren weiter! Die haben in dieser Nacht nicht mal die Stiefel der weißen Banditen auf dem Pflaster gehört! Wahrscheinlich haben sie sich die Ohren zugehalten! Sie hören ja sowas nicht gern! Bloß keinen Ärger! Das sollen dann die Kommunisten ausbaden! Sie schwätzen weiter von Frieden und Menschenliebe! Und dabei behaupten sie noch, Toller und Genossen, sie stehen auf der Seite der Arbeiter! Etwa nicht? Das haben sie gesagt, ja! Auf der Seite der k ä m p f e n d e n Arbeiter — wir haben ja noch keine Sowjetrepublik, die fest und gesichert dasteht, sondern wir müssen k ä m p f e n! Noskes Schlächter stehn schon vor Dachau. Es wird in den nächsten Tagen in Dachau scharf geschossen werden. Und was hat Toller hier in der Stadt für die Sicherheit des Proletariats getan? Er hat wort-reiche Befehle erlassen, über die die Bourgeoisie ge-lacht hat. Die Erfahrungen der Russischen Revo-lution haben doch gezeigt, wie wichtig es ist, sofort die Arbeiter zu bewaffnen. Die Gewehre fehlen — ich habe Toller gefragt, wieviel haben wir denn? Wußte er nicht! — Die Bourgeoisie hat ihre Ge-wehre natürlich nicht abgeliefert. Die wollen Spat-zen schießen, wahrscheinlich! Oder wozu behalten sie die?

Erregung unter den Arbeitern.

Spatzen?

ZWISCHENRUF Rausholen!

ZWISCHENRUF Kommunisten ran!

LEVINÉ Kein Blutvergießen! Um Gottes willen! ruft der empfindliche Student Herr Toller. Die Moral verbietet ihm zu töten. Was für eine Moral denn, müssen wir da noch fragen! Eine Moral, die ihm vorschreibt: keine bewaffnete Aktion gegen die Mörder unserer Revolution! Wo hat er diese Moral denn her? Wer ist ihm denn dafür dankbar? Wir? *Erregung unter den Arbeitern.*

Wir nicht! Wir denken da an das Wort unseres Karl Liebknecht: eure Ehre ist nicht unsere Ehre. Uns interessiert nicht die Moral der Bourgeoisie und nicht die Moral des Herrn Toller. Was der Revolution nützt, das ist für uns moralisch. Dafür habe ich schon als Student in zaristischen Zuchthäusern gesessen. Und empfindlich sind wir auch, Herr Toller! Da nämlich, wo wir sehen, daß man Menschen ausbeutet und unterdrückt und auf die Schlachtfelder schickt um des Profits willen! Genosse Toller kann kein Blut sehen, da wird ihm übel, – schlimm für ihn! Denn durch sein leeres Gerede wird er bald das Blut der Arbeiter auf den Straßen Münchens vergossen sehen!

MAENNER *rechts:* Wir müssen mit den Weißen verhandeln! Unbedingt!

LEVINÉ Herr Maenner schlägt vor, zu verhandeln! Toller hat auch diesen Vorschlag gemacht. Und wir wissen, warum. Und deshalb sagen wir: nein. Wir stehen hier auf vorgeschobenem Posten. Es kommt nur darauf an, ein paar Wochen auszuhalten. Auch die russischen Arbeiter haben auf einem vorgeschobenen Posten gestanden, sie haben ausgehalten und sie haben recht behalten.

SPRECHCHOR *unten:* Ko-mmu-nisten! Ko-mmu-nisten ran!

LEVINÉ Wenn wir mitmachen, dann nur, wenn wir auch die Führung haben! Wir lassen uns nicht als Strohpuppen für eine Sabotagepolitik mißbrauchen! Das Blut der Arbeiterschaft ist uns zu schade, um es für ein paar neugebackene Pazifisten und hysterische Tanten zu vergießen. Wie diese Herren Toller und Genossen!

Erregung unter den Arbeitern.

Blutgierig sind wir angeblich. Kennt er die Tatsachen nicht oder will er sie jetzt nicht mehr kennen? Genossen, w i r sind es doch nicht, die mit Kanonen und Söldnern kommen, um andere niederzuschlagen! Uns liegt doch nichts daran, zu kämpfen! Und niemand wäre froher als wir, wenn es den wehleidigen Pazifisten gelänge, die Schlächter Noskes nach Hause zu schicken! Bloß uns sollen sie mit ihrem Geschwätz in Ruhe lassen! Wir haben jetzt anderes zu tun!

Erregung unter den Arbeitern.

ZWISCHENRUF *rechts:* Laßt den Toller sprechen! Toller!

STIMMEN *unten:* Toller!

LEVINÉ Schwärmer und Narren habt ihr in der Führung! Da schwärmen sie immer von einer besseren Welt, und jetzt sagt man ihnen: handelt! Und da sind sie furchtbar erschrocken – man hat sie aufgeweckt und jetzt laufen sie kopflos herum und heben abwehrend die Hände! In Rußland, Genossen, haben wir mit diesen gefährlichen Narren kurzen Prozeß gemacht.

REICHERT *oben:* Abservieren! An die Wand!

Erregung unter den Arbeitern.

ZWISCHENRUF *rechts:* Mir san da net in Rußland!

LEVINÉ Weg mit ihnen! Weg! Bevor es zu spät ist! Und macht endlich Ernst mit der Bewaffnung der Arbeiter! Geht auf die Straße! Öffnet die Safes! Holt euch, was ihr braucht! Noske hat in Berlin erklärt, er wird mit den Münchner Tollhäuslern aufräumen. Er hat bereits mit den Tollhäuslern aufgeräumt in andern Städten. Er hat die Arbeiter in Bremen, in Berlin, in Sachsen zusammenschießen lassen. Wenn ihr nicht das gleiche Ende wollt — wehrt euch!

Oben. Ein Rotgardist spricht mit Leviné. Dann ab.

LEVINÉ Genossen, man sagt mir eben, Toller wollte den Saal betreten. Im Interesse der Arbeiterschaft habe ich Befehl gegeben, ihn zu verhaften.

Große Erregung. Die Bühne ist jetzt ganz voll mit Arbeitern.

LEVINÉ *schreit in den Saal:* Die Räterepublik ist in den Händen der Kommunisten!

Tumult.

Rechts. Großbürgerliche Wohnung. Resl, ein Dienstmädchen, Walter, ein etwas schwindsüchtig aussehender junger Arbeiter.

Walter will sich eine von seinen Zigaretten anzünden.

RESL *hält ihm eine Porzellandose hin:* Kannst ungeniert eine nehmen. Die Dose ist echt Meißen.

WALTER In Meißen streiken die Genossen grad.

RESL Die kostet bestimmt ihre dreihundert.

WALTER Das möcht ich haben, das Geld.

RESL Ja, hier ist vieles sehr wertvoll.

WALTER *raucht jetzt eine der Zigaretten aus der Porzellandose:* Deine Stellung in diesem Hause ist für einen modernen Menschen unwürdig, Resl.

RESL Die Reichen sind auch nicht alles Verbrecher.

WALTER Ausnahmen gibts überall.

RESL Hier verkehren viele Herrschaften, auch Engländer.

WALTER Müssen weg.

RESL Die Zigaretten sind auch von denen.

WALTER Müssen weg, hab ich gesagt!

RESL Du, da habe ich immer noch meinen christlichen Glauben.

WALTER Die haben dich schon als Kind verdorben, mit der Beichte.

RESL Manches ist ja im katholischen Glauben zweifelhaft, aber er hat auch viel Wahres.

WALTER Du hast dich nicht intensiv damit auseinandergesetzt.

RESL Sag das nicht!

WALTER Aber vom falschen Standpunkt aus!

RESL Ich habe hier schon Unterhaltungen gehört über das Thema Religion, wie ein Universitätsprofessor gesagt hat – da hat er gesessen! Im Fauteuil! Der hat gesagt: der Mensch in seiner Todesstunde ...

WALTER Ja, und weiter?

RESL Nix weiter.

WALTER Nichts weiter! Nichts weiter! Das ist doch keine Argumentation!

RESL Da war alles drin, wie er das gesagt hat.

WALTER Schmarrn. Der Mensch ist doch das Produkt seiner Umwelt.

RESL Aber sterben muß der Mensch trotzdem. – Zieh dir doch die Schuh aus, Walter, ungeniert.

WALTER *verärgert:* Ungeniert! *Er zieht die Schuhe aus.*

RESL Ich bin ja hier zu Hause, gewissermaßen.

WALTER Du hast keinen Instinkt! Der soziale Instinkt ist bei dir verkümmert, herkunftsmäßig.

RESL *legt sich aufs Recamier:* Eine Frau ist halt mehr menschlich orientiert, nicht primär politisch.

WALTER Da haben wir ganz andere Ideen über das Weib im Sozialismus.

RESL *liegend:* Geh her, setz dich!

WALTER Die Frau muß sich erst einmal der Sklavenrolle bewußt werden, in der sie gelebt hat. Grundbedingung.

RESL Walter – hast du schon mal was mit einer Frau gehabt?

WALTER Frage!

RESL Ich denk jetzt fast, du bist unerfahren und daher resultiert deine Unruhe, deine verborgene.

WALTER Resl, wenn du das nicht begreifst, die politische Entscheidung, in die wir gestellt sind, historisch.

RESL Liebe, kommt das nicht vor bei euch?
Walter rückt ihr näher.

RESL Wirst schon noch aktiv.

WALTER Du verführst einen direkt, Pola Negri.

RESL Willst noch eine englische?
Walter antwortet nicht.

RESL Aber sie merkts bestimmt nicht, brauchst dich nicht genieren! *Sie hält ihm die Dose hin.*

WALTER *nimmt ihr die Dose weg:* Resl, so nicht!

RESL Paß auf, die Dose!

WALTER Hast wohl Angst, ich schmeiß sie hin?

RESL Stell sie da her!
Walter hält die Dose, als ob er sie fallenlassen wollte.

RESL Walter! Das ist gemein!

WALTER Wenn ich jetzt die Dose hinschmeiße . . .

RESL *springt auf:* Tus nicht!

WALTER Du mußt dich entscheiden! Ich hab mich auch entscheiden müssen!

RESL *hängt sich an ihn:* Nicht, Walter! Nicht!
Walter läßt die Dose fallen, sie zerbricht.

WALTER *nun selbst erschrocken:* Jetzt ist es passiert.
Resl weint.

WALTER Heul doch nicht! Du hast mich eben provoziert.

RESL Jetzt hab ich Angst, wenn die Gnädige morgen zurückkommt.

WALTER Dann sagst du ihr eben die Meinung.

RESL Was soll ich denn sagen?

WALTER Kannst dich auf mich beziehn, vom Arbeiter- und Soldatenrat.

RESL Da wirds bloß noch schlimmer.

WALTER Aber du bist doch vollkommen im Recht!

RESL Ich weiß nicht, ich hab jetzt Angst. *Sie sammelt die Scherben auf.*

WALTER *zündet sich eine Zigarette an:* Eine zusammen.

RESL Du – jetzt möcht ich mich bloß da hinlegen. Und du dazu. Wer weiß, was morgen ist.

WALTER Morgen um acht gehts auf die Nuntiatur zum Ausräumen.

Sie liegen beide auf dem Recamier und rauchen.

RESL Alles geht kaputt. Alles.

Sie rauchen.

WALTER Angst brauchst keine haben, Resl.

RESL Weißt was?

WALTER Was denn?

RESL Wie du die Dosen runtergeschmissen hast . . .

WALTER Ja.

RESL Das war furchtbar, das war dämonisch.

WALTER In dem Moment!

RESL *schmiegt sich an ihn:* Jetzt könnt ich alles vergessen, ich mein, bloß dich nicht. *Sie versucht liegend das Licht auszumachen, es gelingt ihr nicht.*

WALTER Weißt, das Liebesproblem, wenn man sich damit auseinandersetzt . . .

RESL *nimmt die Zigarette:* Laß mich ziehn.

WALTER Das Christentum ist doch orientalisch, ursprünglich.

RESL Und?

WALTER Da ist die Frau immer als Besitztum des Mannes angesehen worden. Die Jungfrauenschaft war da sozusagen das Kapital, das die Frau mit in die Ehe bringt.

RESL Komisch.

WALTER Im Indischen Ozean hat man einen Völkerstamm entdeckt, da ist das Weib Gemeinschaftsbesitz ...

RESL Da gibts keine Eifersucht?

WALTER Die kann nur in einem System entstehen, das auf dem Privateigentum basiert. In Rußland hat man da jetzt auch schon Erfahrungen gesammelt ...

RESL Rußland ist nicht grad mein Fall.
Sie rauchen.

WALTER Kennst du die Internationale?

RESL Freilich, Völker hört die Signale.

WALTER Auf zum letzten Gefecht ...
Resl lacht.

WALTER Was lachst denn?

RESL Weil ich mal gehört hab, wie sie gesungen haben:
Die Überlandzentrale
versorgt Berlin mit Licht.

WALTER Berliner ...

Links Dr. Lipp in der Irrenanstalt.

DR. LIPP Aus den Erklärungen zur politischen Lage
meiner Partei geht mit Evidenz das tragische Fa-
tum (Ananke) – dura necessitas – hervor: die ge-
bundene Marschroute, welche die 6000 bis 7000
Mitglieder der USP ihren Führer Ernst Toller zu
gehen zwangen. Das Wort von Leon Gambetta
ist nämlich wahr: ich muß meiner Partei Willen
tun, denn ich bin ihr Führer. *Er frißt Kot aus
einem Topf* – Ich wollte in der Kombination der
Räte unter keinen Umständen den Doktor Leviné
haben, denn ich erkannte frühzeitig hinter der
Maske des kommunistischen Demagogen den bru-
talen Militärdiktator. Der Angeklagte Toller aber
jagte, indem er den Vätern der Räteidee blindlings
vertraute, dem Phantom der Einigung des Proletariats nach und sah weder den frühzeitigen Verrat
der Mehrheitssozialisten noch die eigenmächtige
Diktatur der landfremden Kommunisten. Dazu
gesellte sich der unheilvolle Einfluß des alten Fa-
natikers Gustav Landauer auf den durch surme-
nage intellectuelle, sexuelle et physique hemmungs-
los gewordenen Dichterjüngling Ernst Toller mit
seiner ihn selber berauschenden Beredsamkeit. Das
Unwiderstehliche der russischen Revolutionsideen
liegt darin, daß Michael Bakunin, Fürst Kropot-
kin und Leon Tolstoi bei der Predigt ihrer kom-
munistisch-anarchistischen Vorschläge mit dem
Schleier und Talar des religiösen Propheten und
Apostels auftreten. Auch im zwanzigsten Jahrhundert macht das Urchristentum (Apostelgeschichte

Kapitel 4 Vers 32 bis 37 und Kapitel 5, Vers eins und zwei) Eroberungen. Und dem poetischen Zauber des kraß kommunistischen Urchristentums erliegen ausgerechnet gerade Juden: Leviné und Toller.

Unten. Keller im Matthäser. Toller verhaftet. Leviné.

LEVINÉ Wir haben gehört, Sie wollten verhandeln.

TOLLER Natürlich! Das wollte ich immer.

LEVINÉ Mit den Weißen.

TOLLER *aufgebracht:* Wer sagt das?

LEVINÉ Ein Gerücht.

TOLLER Infam! Wer bringt denn solche Lügen auf? Sie doch! Nur Sie!

LEVINÉ Ein Gerücht unter den Arbeitern. Natürlich möchte ich nicht behaupten, daß Sie jetzt, wo es ernst wird, auf diese Weise Ihr Leben retten wollen –

TOLLER *starrt Leviné an:* Leviné!

LEVINÉ Das ist auch gesagt worden.

TOLLER Wer? Namen! Namen!

LEVINÉ Wir dachten, es würde in Ihrem Sinn sein, wenn wir Sie in dieser verfahrenen Situation – wie verfahren sie ist, wissen Sie wohl recht gut?

TOLLER Ihre Schuld!

LEVINÉ Wenn wir Sie von Ihrer Verantwortung entlasten.

TOLLER Man fängt mich auf der Straße ab, zerrt mich in diesen Keller, sperrt mich ein, – um mich zu entlasten!

LEVINÉ Die Märtyrerrolle steht Ihnen doch gut.

Toller stumm, geht erregt auf und ab.

LEVINÉ Schreiben Sie nicht ein Drama darüber?

Toller antwortet nicht.

LEVINÉ *merkt, daß er einen Fehler gemacht hat, lenkt ein:* Entschuldigen Sie, Toller.

Toller antwortet nicht.

LEVINÉ Wir haben die Macht nicht gewollt. Sie ist uns zugefallen.

TOLLER Verhaftungen, Tribunale, Generalstreik ...

LEVINÉ *geht nicht auf die Vorwürfe ein:* Epp steht vor Dachau. Sie kriegen in den nächsten Tagen Verstärkung. Wenn wir sie jetzt angreifen, und schlagen, haben wir das ganze Hinterland frei, bis Augsburg und Ingolstadt. Wir holen uns ganz Südbayern zurück.

TOLLER Die Rote Armee! Ein undisziplinierter Haufen!

LEVINÉ Den Oberbefehl hat jetzt Eglhofer.

TOLLER Eglhofer? Ach – ja.

LEVINÉ Aber draußen, die Mannschaften an der Front ...

TOLLER Blutvergießen! Krieg! Das alles wieder!

LEVINÉ Die Mannschaften brauchen einen Führer in Dachau, – einen, an den sie glauben.

TOLLER Woran glauben Sie, Leviné? Sagen Sie mir das!

LEVINÉ *einfach und sicher:* Ich glaube an den Sieg des Proletariats.

TOLLER Heute? Morgen? Wann denn?

LEVINÉ Nehmen Sie den Posten an?

TOLLER Eglhofer! Oberkommandierender der Roten Armee! Ausgerechnet!

LEVINÉ Auf meinen Vorschlag.

TOLLER Wie das alles endet! Ich sehe das doch! Es läuft alles darauf zu! Mord! Sinnloser Mord!

LEVINÉ *ruhig:* Die Weißen organisieren ihn schon seit einiger Zeit.

TOLLER *leidenschaftlicher Ausbruch:* Sie erpressen mich! Sie kommen her und setzen mir einfach die Pistole auf die Brust!

LEVINÉ Aber Toller – meinen Sie das im Ernst? Wenn Sie sich erpreßt fühlen – von mir – das will ich nicht! Ich dachte, wir hätten ein gemeinsames Interesse, – einen gemeinsamen Kampf! Erpressen will ich Sie nicht! Bitte! Sie sind frei!

TOLLER Frei?

LEVINÉ Sie können gehen. Wohin Sie wollen.

TOLLER *heftig:* Dann schießen Sie doch lieber gleich! Nicht auf der Flucht! Gleich! Schießen Sie!

LEVINÉ Sie müßten sich einmal entschließen, politisch zu denken.

TOLLER Alles, was ich gesagt und getan habe, ist doch politisch! Deshalb hat es ja auch so auf die Massen gewirkt.

LEVINÉ Ich meine: kommunistisch.

TOLLER Robespierre!

LEVINÉ Nicht so hoch!

TOLLER Da machen Sie diesen Generalstreik – Und dann ... machen Sie immer weiter kaputt! Und kaputt!

LEVINÉ *jetzt zornig über Tollers Verhalten:* Allerdings, Toller! Allerdings wollen wir »kaputt machen«. Vollständig! Nämlich den Staat, diese Maschinerie, die die Bourgeoisie so sorgfältig gepflegt hat, um ihre Profitherrschaft damit zu sichern. Wenn wir es zulassen, daß dieser Staat in seiner Grundstruktur erhalten bleibt, wenn wir nur – was Sie wollen, Toller – nur ein paar gesetzliche Änderungen vornehmen, um eine sogenannte sozialistische Ordnung herzustellen, dann haben wir in kürzester Zeit wieder ganz und gar den alten Staat und den alten Kastengeist und die alte Bürokratie, nur diesmal mit dem Wort »sozialistisch« sanktioniert. Und dann dauert es nicht lange, bis irgendein neuer Caesar im Namen des »Sozialismus« Europa in Brand steckt. Also dürfen wir nicht aufhören zu zerstören, bis wir auch nur den Gedanken an diesen Staat in den Hirnen zerschlagen haben. Möglicherweise gehn ein paar Köpfe dabei kaputt – und das allein beunruhigt Sie offenbar, Toller! Nur das!

TOLLER Mich selbst opfern – ja. Aber andere ...

LEVINÉ Später dann werden wir aufbauen, nämlich unser Sowjetsystem. Sehn Sie doch einmal nach Rußland! Da haben Sie es doch vor Augen, wie es funktioniert.

TOLLER Wenn aber Noske in Dachau – und wir bloß mit 10 000 Mann ...

LEVINÉ 22 000.

TOLLER 22 000 mit schlechten Waffen. Man wird uns das vorwerfen –

LEVINÉ Die Gerichte der Bourgeoisie?

TOLLER *hysterisch:* Ich bin kein Verräter!

LEVINÉ Für uns Kommunisten besteht das Verbrechen nicht darin zu opfern, sondern zu zweifeln.

TOLLER Ich habe vielleicht zu viel gewollt. Ich habe eine Vision gehabt, von einer neuen Welt . . .

LEVINÉ Gehn Sie nach Dachau?

TOLLER *nach einer Pause:* Ich fühle mich mit den Arbeitern solidarisch.

LEVINÉ Präziser: Sie gehn an die Front nach Dachau?

TOLLER Wenn es sein muß, will ich mit den Arbeitern untergehn.

LEVINÉ Untergehn wollen wir nicht. Wir wollen siegen.

TOLLER Siegen! Das Wort!

LEVINÉ Sie nehmen an?

TOLLER Und wenn es schief geht –

LEVINÉ Es gibt Niederlagen, die endgültig sind, – wenn wir jetzt kapitulieren, ohne Kampf. Und es gibt eine Niederlage, die ist nur ein aufgeschobener Sieg.

Toller – der heroische Untergang, diese Vorstellung verbindet ihn jetzt mit Leviné – will auf ihn zu, Leviné weicht aus, öffnet die Tür. Toller ab.

LEVINÉ Schauspieler.

Links. Toller – 1939, in Amerika – liest sechs alten Damen aus seinen Erinnerungen vor.

TOLLER Vom Kriegskommissar Eglhofer wird mir ein Befehl überbracht. – Dachau ist sofort mit Artillerie zu bombardieren und zu stürmen. Ich zögere, diesen Befehl zu befolgen. Die Dachauer

Bauern stehen auf unserer Seite, wir müssen unnütze Zerstörung vermeiden.

Wir stellen den Weißen ein Ultimatum: Zurückführung der weißen Truppen bis hinter die Donaulinie, Freilassung der entführten Mitglieder des Zentralrats, Aufhebung der Hungerblockade gegen München.

Die Weißen schicken als Parlamentäre einen Oberleutnant und einen Soldatenrat. Wir verhandeln nur mit dem Soldatenrat.

– Kamerad, du kämpfst gegen Kameraden, du gehorchst denen, die dich bedrückt haben, unter denen du gelitten, gegen die du dich im November aufgelehnt hast.

– Und ihr? antwortet er. Was habt ihr in München gemacht? Ihr mordet und plündert.

– Wer sagt das?

– Unsere Zeitungen schreiben so.

– Willst du dich überzeugen?

Der Offizier, wütend und ungeduldig, fährt den Soldatenrat an:

– Keine Antwort! Kein Wort weiter!

– Ach, ihr seid schon wieder so weit!

Der Offizier steht auf, drängt hinaus, der Soldatenrat flüstert mir zu: Wir schießen nicht auf euch! Nachmittags um vier krachen Geschütze. Haben die Weißen die Vereinbarung gebrochen?

Unsere eigenen Geschütze hatten geschossen, auf Befehl eines unbekannten Soldatenrats.

Ich trage die Verantwortung für das Leben unserer Leute, ich entschließe mich, im Auto nach Dachau zu fahren und selbst den Vorfall zu klären. *Rot-gardisten ziehen o b e n vorbei.*

Plötzlich wird das Auto von Maschinengewehr-feuer bestrichen.

– Weiterfahren! rufe ich dem Chauffeur zu.

Ich sehe unsere Truppen in Schützenlinien vor-marschieren.

– Wer hat den Befehl gegeben? frage ich den Zug-führer.

– Ein Kurier.

Was soll ich tun? Mitten im Gefecht den Rückzugs-befehl geben, ist nicht möglich, jetzt heißt es, die vormarschierenden Truppen zu unterstützen.

Das Feuer von drüben verstärkt sich.

Meine Gruppe zaudert, sie verlangt Artillerie zur Unterstützung, ich weigere mich, den Befehl zu erteilen, springe mit ein paar Freiwilligen vor, die anderen folgen, wir erreichen unsere Infanterie, wir stürmen Dachau. *Toller geht ab, von den Da-men umringt. Er gibt Autogramme. –*

Trommeln. U n t e n kommen Rotgardisten und Ar-beiter mit roten Armbinden, sie tragen Spruchbän-der und Transparente. Bilder: Toller als Feldherr. »Der Sieger von Dachau«. »Toller«. »Augsburg, Nürnberg, Würzburg rot!« »Arbeiterblut ist genug geflossen, Morgen gehört uns Bayern, Genossen!« Die Versammlung löst sich auf. Einzelne Transpa-rente bleiben stehen.

*Rechts. der Oberkommandierende der Roten
Armee, Eglhofer, in Matrosenuniform.
Unten werden Geiseln reingeführt.*

EGLHOFER Name?

GEFANGENER Prinz Thurn und Taxis, Gustav Franz
Maria, – es liegt eine Verwechslung vor mit einem
Vetter von mir, der mit der Thule-Gesellschaft in
Verbindung stand.

EGLHOFER Haben wir ausgeräumt, die Thule! Die
Herren Barone! Die antisemitische Pestbude! *Zum
nächsten Gefangenen.* Du?

GEFANGENER Deike.

EGLHOFER Beruf?

DEIKE Kunstgewerbezeichner.

EGLHOFER Kunstgewerbezeichner!   Antisemitische
Hetzblätter! Hat sich aufghört jetzt.

DEIKE Ich habe damit nichts zu tun, bitte.

PROFESSOR BERGER *will vortreten:* Herr Kommandant Eglhofer, ich bin selbst Jude.

EGLHOFER *plötzlicher Wutanfall:* Der feige Hund,
der feige! *Zu einem Rotgardisten.* Hast des ghert?
Jetzt geht er net weiter in Dachau! Der Toller!
Kann es nicht verantworten! Da hast dein »Sieger
von Dachau«! An Kasper hams zum Kommandeur
gmacht! Mit seim seidenen Halstuch! Der Kasper,
der studierte! Dem zeig ichs jetzt, nacha kann as
studiern, der feige Hund! *Zu dem letzten Gefangenen in der Reihe, der ein Halstuch trägt.* Du? *Er
kommt nach unten.*

DER GEFANGENE *sehr leger:* Freiherr von Teuchert aus
Regensburg.

74

EGLHOFER *reißt ihm das Halstuch ab:* Runter mit dem Halstuch, Herr Freiherr! *Mit einem Blick auf die Gräfin.* Die Dame? *Die Gräfin zögert mit der Antwort.*

DER GEFANGENE NEBEN DER GRÄFIN *rasch:* Freiherr von Seidlitz. Freiherr von Seidlitz.

DIE GRÄFIN *hat nun auch Mut und sagt:* Gräfin Westarp.

EGLHOFER Auch von der Thule!

PROFESSOR BERGER *mit mühsam beherrschter Aufregung:* Professor Berger, ich bin Kunstmaler von der Akademie.

EGLHOFER Hat sich ausstudiert mit der Akademie!

GEFANGENER NEBEN PROFESSOR BERGER Ich bin bloß Gepäckträger bin ich von Beruf, bei der Reichsbahn, und hab ich bloß mit meim Handwagen, weil es zufällig geregnet hat, gestern, zufällig hab ich . . .

EGLHOFER *zum nächsten:* Name?

PROFESSOR BERGER *drängt sich vor:* Herr Kommandant Eglhofer, ich möchte mir die Frage erlauben, wieso ich verhaftet worden bin. Meine . . .

EGLHOFER Name? Hab ich gefragt!

SOLDAT *steht stramm:* Gefreiter Linnenbrügger.

EGLHOFER *zu dem zweiten Gefangenen in Uniform:* Name?

ZWEITER SOLDAT *steht stramm:* Gefreiter Hindorf.

EGLHOFER *nach einer Pause:* Ich war in Kiel dabei, seinerzeit, bei der Meuterei. Wie wir gemeutert haben. Gegen die Herren Offiziere haben wir gemeutert. Die Offiziere, das sind alles Verbrecher!

Ghörn abserviert! Nachher, wies gar war, da haben wir müssen antreten, auf dem Hof. Alles, was noch da war. Da hat er kommandiert: Stillgestanden! der Kommandant, da sind wir stillgestanden. Jeder siebte wird standrechtlich erschossen, hats gheißen. Da hat er kommandiert: Abzählen! Da hab ich gedacht, das ist gewiß der neben mir mit sieben, mein Nebenmann, der Mecklenburger, – a ganz a junger Bursch wars. Ich bins aber selber gwesen. Sieben! hab ich gebrüllt, ganz automatisch. Der Mecklenburger hat in die Hosen geschissen ghabt. *Zu dem Gefreiten.* Jetzt denkst, wenns ihn nur umgelegt hätten, den Eglhofer!

DER GEFREITE Nein.

EGLHOFER Lüg nicht! Mensch! Euer Militarismus, der hat sich abgewirtschaftet! Jetzt san mir dran! Für alle Zeiten! *Zu dem Posten.* Ins Luitpold! In den Keller!

Der Posten führt die Gefangenen ab.

Oben. Die Generäle Möhl, Oven und Oberst Epp.

OVEN Oberst Epp, Sie sichern den Süden. General Siebert die Ostfront. Das Freikorps Görlitz dringt von Dachau her über Moosach gegen den Hauptbahnhof vor. Gruppe Friedeburg dringt in Nymphenburg ein und besetzt die militärischen Gebiete am Oberwiesenfelder Exerzierplatz.

MÖHL Vom Ostufer der Isar aus eine Kompanie der Regensburger Volkswehr, unterstützt von der Batterie Zanetti, über Maximilianstraße Richtung Odeonsplatz.

EPP Von der linken Flanke die Gruppe Siebert, sichert die Ostvorstädte Bogenhausen und Haidhausen und angrenzende Innenstadt. Die Gruppe dringt durch die Sonnenstraße zur Gruppe Deetjen durch.

OVEN Gruppe Deetjen nimmt den Norden, Freimann und Schwabing und dringt durch die Leopoldstraße zum Maximilians- und Lenbachplatz.

MÖHL Oberst von Epp, Sie persönlich überschreiten bei Grünwald die Isar und vereinigen sich mit der Gruppe Siebert. Sie übernehmen die Niederwerfung der roten Hochburg Giesing.

EPP Meine Herrn, sind Sie schon mal von einem Lyriker besiegt worden?
Gelächter.

OVEN Ich sehe die Herren übermorgen, im Wittelsbachpalais.

Unten. Wittelsbachpalais. Fern Geschützfeuer, vereinzelt Maschinengewehre. Runder Tisch, darauf ein Haufen Pellkartoffeln. Um den Tisch stehend und damit beschäftigt, die Kartoffeln zu schälen: Gandorfer, Paulukum – der ziemlich angetrunken ist –, Reichert, Leviné, Olga.

LEVINÉ *nimmt ein Schriftstück aus einer Mappe, liest und erklärt:* Die Erwerbslosen protestieren dagegen, daß ihnen im Aktionsausschuß keine Vertretung zugebilligt wird.

REICHERT Solln sie zur Roten Armee, dann haben sie ne Vertretung!

PAULUKUM Wenn aber eener ni schießn kann, is ar ni

77

richtig in der Roten Armee. Dann is er uffge-
schmissn.

LEVINÉ *mit einem anderen Schriftstück:* Eine Be-
schwerde der Nuntiatur wegen dem Kraftfahrzeug,
das man widerrechtlich enteignet habe. – Wer
wars?

Keine Antwort.

REICHERT Der Heilige Geist!

LEVINÉ *zerreißt das Schriftstück. Nimmt ein anderes:*
Etwas für Toller.

GANDORFER Nicht anwesend!

LEVINÉ Urteil des Revolutionstribunals: ein Herr
Armstädter wegen Waffenbesitz, zum Tode. – Erhebt jemand Einspruch?

GANDORFER *ironisch:* Den lassen wir am besten laufen.

LEVINÉ Er ist überführt, also wird er verurteilt. *Er
unterschreibt.*

PAULUKUM Zum Tode wegen Waffenbesitz! Da heerst
es, Reichert!

REICHERT Ist dochn Ausbeuter, Paulukum! 'n Fa-
brikbesitzer!

PAULUKUM Trotzdem! A Waffe soll ar ni habn.

Der Finanzbeauftragte Maenner kommt.

MAENNER Es wurde mir eben mitgeteilt, daß im Po-
lizeipräsidium Auslandspässe gestohlen worden
sind. Einen davon soll ein Mitglied des Aktions-
ausschusses bekommen haben.

PAULUKUM Wer hat das gesagt?

MAENNER Arbeiter!

REICHERT Arschlöcher!

GANDORFER Mir san beieinand und bleiben beieinand.

MAENNER Die Arbeiter verlangen Aufklärung. Sie haben ja auch ein Recht darauf! Sie halten ja den Kopf hin!

REICHERT Wir etwa nich?

PAULUKUM *geht herum:* Eener von uns, meine Herrn! Eener soll ihn haben. Ich seh euch alle in die Augen. Eenen nach dem anderen!

GANDORFER Für was für ein Land?

MAENNER Schweiz.

REICHERT Reichert in die Sommerfrische?

MAENNER Ich für meine Person habe es nicht nötig, ins Ausland zu gehen. Ich kann mit gutem Gewissen alles vertreten, was ich als Finanzbeauftragter angeordnet habe.

REICHERT Glaub ich dir! Son Schemelwetzer wie du!

PAULUKUM Eine jede Beleidigung meiner Person weise ich auf das Entschiedenste zurücke!

OLGA Ich finde es würdelos, überhaupt auf so einen Vorwurf einzugehen!

PAULUKUM *zieht sein Jackett aus:* Bitte sehr! Hier ist meine Jacke! Hier ich greife in meine Taschen, dräh se nach außen, eens, zwee – bitte sehr! Da is keen Paß nich drinn.

GANDORFER *der neben ihm steht, zieht ihm eine Flasche aus der Tasche:* Aber ein Slibowicz!

REICHERT Laß mal rumgehn!

PAULUKUM Is mer a Rätsel is mer das wie der da reingekommen is. Den muß mer direkt eener reingesteckt haben.

Reichert, der getrunken hat, will Maenner die Flasche geben.

MAENNER Ich trinke nicht, danke.

REICHERT Trinkt nich, roocht nich, greift noch nich mal in die Kasse.

PAULUKUM Wer is nu der Verräter? War hoat nu den Paß?

LEVINÉ Paulukum, wir sprechen dich frei! Maenner, dich auch! Ich sehe, du bist schon die ganze Zeit nervös. Falschgeld hast du drucken lassen, darauf steht Zuchthaus in bürgerlichen Friedenszeiten. Aber dafür hast du das Geld in den Safes nicht angerührt, das sichert dir mildernde Umstände. In Geldsachen reagiert die Bourgeoisie seismographisch. – Gandorfer, dir passiert auch nichts. Ihr habt das alle ja gar nicht gewollt! Die Schweine sind bloß die Kommunisten! Du – Reichert! Du wirst erschossen! *Wirft ihm kameradschaftlich eine Kartoffel zu.*

REICHERT Danke für die Blumen!

PAULUKUM *mit dem Eigensinn von Betrunkenen:* Das laß ich nich uff mer sitzen!

LEVINÉ *mit einem anderen Schriftstück:* Ein Brief von Landauer.

REICHERT Wieder mal ne Sonntagspredigt.

PAULUKUM Es is ja auch heute e Arbeetersunntig. Erschter Mai!
Granateinschlag, nah.

REICHERT Die predigen für die Schwerhörigen.

GANDORFER Lang halten wir uns nicht mehr da herinnen.

LEVINÉ *liest vor:* »Ich habe mich um der Sache der Befreiung und des schönen Menschenlebens willen der Räterepublik zur Verfügung gestellt. Sie haben meine Dienste nicht mehr in Anspruch genommen. Inzwischen habe ich Sie am Werke gesehen, ich habe gesehen, wie im Gegensatz zu dem, was Sie Scheinräterepublik genannt haben, Ihre Wirklichkeit aussieht. Ich verstehe unter dem Kampf, der Zustände schaffen will, die jedem Menschen gestatten, an den Gütern der Erde und der Kultur teilzunehmen, etwas anderes als Sie . . .«

REICHERT Hör doch auf mit dem Quatsch, Eugen!

LEVINÉ *liest weiter:* ». . . in Ihren Werken sehe ich . . .« um es kurz zu machen, wir müssen auf den Genossen Landauer in Zukunft verzichten. Das wird uns nicht schwerfallen. *Er zerreißt den Brief.*

GANDORFER Er ist halt etwas weltfremd.

TOLLER *kommt aufgeregt herein und schreit:* Geiseln sind ermordet! Man hat Geiseln ermordet!

PAULUKUM *der in sich versunken dasaß, fährt auf:* War? War hat gemordet?

TOLLER Im Luitpoldgymnasium sind Geiseln erschossen worden!

REICHERT Nu mal piano, Toller!

TOLLER Das ist Mord! Ihr seid alle Mörder!

PAULUKUM War hat das gemacht? War?

GANDORFER Die vom Eglhofer, wahrscheinlich!

MAENNER Wen macht man dafür verantwortlich?

REICHERT Nu mal immer mit der Ruhe! Wieville sinds denn?

TOLLER Elf. Auf dem Schulhof liegen sie.

REICHERT Und was für ne Sorte?

TOLLER Von der Thulegesellschaft! Die waren dort im Keller. Geiselmord! Die Revolution besudelt sich mit Verbrechen!

REICHERT Von der Thule! Will dir mal was sagen, Toller! Von denen könnte ich noch mehr vertragen!

GANDORFER Die habts ihr umgebracht! Unschuldige habts ihr ...

OLGA Unschuldig waren die auf keinen Fall, wenn die von der Thule sind.

MAENNER Wer hat es denn gemacht?

LEVINÉ *scharf:* Wir alle, Genosse Maenner!

PAULUKUM Ich sull uff eenmoal unschuldige Menschen ermordet haben? Der Paulukum sull sowas auf sein Gewissen geloaden hobn?

TOLLER Man hat euch reingeritten, Paulukum! Da steht er –!

LEVINÉ *sehr scharf, und nur mühsam beherrscht:* Toller, hören Sie zu: wir haben Geduld mit Ihnen gehabt und Sie haben uns in Dachau im Stich gelassen. Der Sieg fiel Ihnen zu, weil die Arbeiter gekämpft haben! Die Arbeiter, nicht Sie! Sie haben sich benommen wie ein Pennäler! Und jetzt schreien Sie Mord, weil da ein paar Tote liegen – keine Arbeiter, sondern Mitglieder einer antisemitischen Schweinebande von Adligen! Es müssen noch mehr sein! Die sind eine Pest und die müssen wir ausrotten! Die tun uns nicht leid! Für die sind wir ja auch Banditen! Die denken auch nicht dran, uns zu schonen, wenn sie uns kriegen!

Toller, in höchster Erregung, rennt hinaus.

MAENNER *will ihm nach:* Toller!

LEVINÉ Der bringt sich nicht um, Maenner! Der braucht seinen Prozeß!

GANDORFER Der geht gewiß ins Luitpoldgymnasium.

MAENNER Wir müssen uns sofort öffentlich von dem Verbrechen distanzieren!

OLGA Und die Münchner Arbeiterschaft damit allein lassen, Maenner?

MAENNER Ich habe doch damit nicht das geringste zu tun – und die Arbeiter auch nicht!

LEVINÉ Ich bin sofort bereit, das ein Verbrechen zu nennen, wenn die Bourgeoisie ihre Verbrechen auch zugibt.

GANDORFER Auf jeden Fall wird uns das jetzt schwer zur Last gelegt werden.

MAENNER Wo hat man denn die Leichen hingeschafft?

LEVINÉ Die liegen vermutlich noch auf dem Schulhof.

MAENNER Die müssen doch weg!

LEVINÉ Dann gehn Sie doch mal ran, Maenner!

MAENNER Wenn die Freikorps schon in Giesing sind ...

REICHERT Da ist jedes Arbeiterhaus ne Festung. Da kommen Sie nicht durch.

PAULUKUM Da liegen se – und der Leviné steht da und der Reichert steht da – ihr verfluchten Krippel! Ihr soagt keen Wort ni dazu! Ihr hobt die menschliche Wirrde nich! Du hast se vielleicht studiert, Leviné, in deim Koppe, aber da geheert se ni

hin; da ist se bloß su a Lüftel und geht wieder raus. Nee, Leviné, ich erlaube mir jetzt und geh!
Er will weg.

REICHERT *zieht den Revolver:* Rate ich dir nicht, Paulukum!

LEVINÉ Schieß nicht auf Spatzen, Reichert!

PAULUKUM *läßt sich erschöpft auf einen Sandsack fallen:* Nee, auf mich schieße man nich. Das lohnt sich nich. Bloß a kleener Tropfen bin ich, im unendlichen Meere.

GANDORFER Des is a Schand und bleibt eine! Das hätt einfach nicht passiern derfn, mit die Geiseln.

PAULUKUM *vor sich hin:* Den Mühsam haam se bloß verpriegelt. Weiter is nischte passiert.

MAENNER Ich sehe keine Veranlassung, noch länger hier im Palais zu bleiben.

REICHERT Ab in die Schweizer Berge!

MAENNER *wütend:* Ich habe den Paß nicht!

REICHERT Was hast du denn noch in der Mappe, Eugen?

LEVINÉ Antrag: Die Universität . . .

MAENNER Das ist doch Selbstmord!
Stille.

LEVINÉ *hat wieder Papiere aus der Mappe genommen, liest:* Antrag: Die Universität bleibt bis Juni geschlossen. Danach beginnt sie mit einer Vortragsreihe über den dialektischen Materialismus.

REICHERT Bravo!

GANDORFER Im Juni . . .

LEVINÉ Wir sind einverstanden. *Er unterschreibt. Nimmt ein anderes Schriftstück.* Ein Telegramm

italienischer Arbeiter. *Er liest vor:* »I lavoratori italiani inviano ai confratelli tedeschi il loro più fervido augurio, convinti come non mai che l'ora della vittoria socialista è prossima non solo in Germania ma nel mondo intero. Certi che la sicura sconfitta della borghesia e dei suoi servi pseudosocialisti portera alla liberazione totale della classe lavoratrice. Attendiamo fiduciosi il giorno ormai vicino dell'avvento del communismo.«
Schüsse, ganz nah; Einschläge.

Rechts. Redaktion einer bürgerlichen Zeitung.
REDAKTEUR *liest und korrigiert seinen Leitartikel:* Allen, die ihr Volk und Vaterland lieben, wird klar sein, daß die Lehren der Räterepublik nicht vergessen werden dürfen. Wir müssen dafür sorgen … *verbessert:* Wir, die wir uns als Bürger verantwortlich fühlen, müssen dafür sorgen … *verbessert:* die wir als Bürger und Demokraten die Verantwortung tragen, müssen dafür sorgen, daß die Wiederkehr solcher Zustände für alle Zeit verhindert wird. Was uns not tut, ist aufbauende Arbeit, ist klares Denken, nicht ein Berauschen an Phrasen, ist hingebender Dienst an Volk, Vaterland und Heimat, nicht Dienst unter der Herrschaft landfremder Elemente.

Unten. Schüsse. Toller, Hände über dem Kopf, rennt über die Bühne.
Links. Wittelsbachpalais. Schüsse. – Leviné und Reichert tragen Akten zusammen, zünden sie an.

REICHERT Brennt!

LEVINÉ Das sind alles Idioten, Reichert! Kein einziger hat etwas kapiert! Keiner!

REICHERT Die hätten wir eher verkaufen sollen, nicht erst bei Ladenschluß! Nu kriegen wir nischt mehr für –

LEVINÉ *sieht ihn an:* Und wir zwei –

REICHERT *grinst:* Zweie für een Groschen, Eugen.

LEVINÉ Sie müssen sich in Sicherheit bringen! Wenn Sie geschnappt werden, sind Sie dran.

REICHERT *nach einer Pause:* Keine Bange, mich kriegen die nich.

Sie verbrennen Akten.

LEVINÉ *nach einer Pause:* Was sind Sie eigentlich von Beruf, Reichert?

REICHERT Gelernt hab ich Kellner.

LEVINÉ Haben Sie eine Frau? Kinder?

REICHERT Danke der Nachfrage. Damit habe ich mir nich belastet.

LEVINÉ Meine Frau versucht mit dem Kleinen . . . mit dem Fahrrad . . .

Ein Granateneinschlag. Leviné, furchtbar erschrokken, duckt sich.

REICHERT *der ruhig geblieben ist:* Das war bloß im Hinterhaus, Eugen.

LEVINÉ *dem seine Reaktion peinlich ist:* Ein momentaner Schock. Es war ein Reflex.

REICHERT Wohin willste dir denn verkrümeln mit deine Frau und dem Kinde?

LEVINÉ Daran denke ich nicht!

REICHERT Is doch menschlich.

LEVINÉ Nein. Nicht für mich.

REICHERT Also wat is nu? Wohin denn?

LEVINÉ *zögernd:* Schweiz.

REICHERT Also dann hast du den Paß?

LEVINÉ Es war Parteibeschluß.

REICHERT *sieht ihn patzig an:* Habe ich mir beinahe gedacht die ganze Zeit!

LEVINÉ *gepeinigt:* Ich wollte nicht, Reichert! Ich wollte nicht!

REICHERT Fürn Heldentod ist keiner geschaffen.

LEVINÉ Du verstehst das falsch! Es geht doch nicht um mein persönliches Leben! Ich habe kein persönliches Leben, Reichert!

REICHERT Die Partei, verstehe.

LEVINÉ *fast flehentlich:* Ich bin doch niemals feige gewesen, Reichert. Immer für die Revolution ... immer gehetzt ... mit falschem Paß ... im Zuchthaus ...

REICHERT Ich verstehe vollkommen, Eugen.

LEVINÉ Von Zürich aus setze ich mich mit der Zentrale in Verbindung. Dann wahrscheinlich nach Hamburg. Und dann geht das weiter.

REICHERT Und ich schmeichle mir, Eugen, mich kannste auch wieder brauchen, später. *Einschläge, nah.* Werde mich melden.

LEVINÉ Granatwerfer! *Er läuft geduckt zum Fenster.*

REICHERT Über die Feuerleiter!

LEVINÉ *sieht aus dem Fenster:* Da drüben! Reichswehr! Da drüben! Da stehn sie schon! Komm! Rasch! *Er rennt weg.*

REICHERT Mir roochert. Kein Wunder, es roocht ja

überall. *Er zündet sich in Ruhe eine Zigarette an.* Na, denn! *Schüsse.*

Rechts. Luitpoldgymnasium. Nacht. Der Schuldiener kommt.

TOLLER Die Kellertür aufmachen, Mensch! *Trommelt gegen die Tür.*

SCHULDIENER *leuchtet Toller mit der Taschenlampe an, erschrocken:* Herr, – habe ich die Ehre mit Herrn Toller –

TOLLER Ist da noch jemand?

SCHULDIENER Ich habe mir nie etwas gegen die Räterepublik zuschulden kommen lassen, insofern.
Die Frau des Schuldieners kommt.

TOLLER *packt den Schuldiener:* Die Tür auf, Mensch!

SCHULDIENER Ich bin bloß der Schuldiener.

DIE FRAU Bringens meinen Mann nicht um, er darf keine Aufregung haben, er ist herzkrank!

SCHULDIENER Den Schlüssel habens mitgenommen.

TOLLER *zu der Frau:* Sind da unten noch Menschen?

SCHULDIENER Die sind erschossen worden, Herr Toller, standrechtlich. Dahinten auf dem Hof. Da liegens an der Mauer, aber gesehn ham wir nix.

DIE FRAU Ghört ham wirs bloß.

SCHULDIENER Wir wohnen da oben seit neunundzwanzig Jahren.

DIE FRAU Einer hat noch eine Zigarette geraucht vorher.

TOLLER Helfen Sie mir!
Sie brechen die Tür auf.
Licht machen!

SCHULDIENER Das elektrische Licht funktioniert nicht, insofern.

TOLLER Sie haben doch die Taschenlampe!

DIE FRAU Ja, eine Taschenlampe hast du, Paul.

SCHULDIENER Hab i jetzt gar net bemerkt. *Er leuchtet mit der Lampe in den Kellereingang.*

TOLLER *ruft hinunter:* Rauskommen!

DIE FRAU Jesses Maria und Joseph!

SCHULDIENER Die sind jetzt alle tot, Herr Toller, insofern, die Konterrevolutionäre.

TOLLER Da hinten!

DIE FRAU Schießens nicht, Herr Toller, mein Gott, die armen Leut!

TOLLER Raus! Raus da! Ich will Sie nicht erschießen, Mann! Kommen Sie raus!
Ein älterer Mann kommt aus dem Keller.

DER MANN Ich . . . ich . . .

TOLLER *in großer Aufregung:* Raus mit dir! Auch einer von der Thule! Antisemitische Hetze!

DER MANN Wegen dem Regen . . . ich hab . . .

TOLLER Sind noch andre unten?

DER MANN Nein, Ja. Tot.

TOLLER Hau ab! Hau doch ab, Mensch!

DER MANN *bleibt starr stehen:* Nein.

TOLLER Du bist frei, Mensch!

DER MANN Ich habe das Plakat . . .

TOLLER *schreit ihn an:* Lauf doch!

DER MANN Es hat geregnet. Es hat geregnet vorgestern . . . und da habe ich meinen Wagen mit einem Plakat . . . das habe ich abgerissen . . .

TOLLER Lauf doch!

89

DER MANN Zugedeckt. Vom Toller. Ein Plakat vom Toller.

TOLLER Was für ein Plakat! Mensch!

DIE FRAU Schießens nicht! Ich hab ja gehört, Sie sind menschlich, Herr Toller.

DER MANN *entsetzt:* Der Toller sind Sie?

TOLLER Toller, ja!

Der Mann rennt fort.

DIE FRAU *betet hastig:* Jesus Maria und Joseph, erbarme dich unser, bestrafe uns nicht mit unseren Sünden.

SCHULDIENER Wir sind gute Sozialdemokraten, Herr Toller.

TOLLER Besorgen Sie einen Wagen, rasch! Die Toten müssen fort!

SCHULDIENER Die Weißen sind ja schon in Giesing!

TOLLER Ins Krankenhaus, in die Nußbaumstraße! Die dürfen sie hier nicht finden! Das gibt ein Blutbad unter den Arbeitern!

SCHULDIENER Mit denen, wo hier erschossen worden sind, haben wir nichts zu schaffen, Herr Toller, insofern.

TOLLER Anfassen!

Schuldiener rührt sich nicht.

Das ist ein Befehl!

DIE FRAU *bemerkt jetzt Tollers Hilflosigkeit:* Paul da faßt du nicht an! Nachher kommst du vor ein Standgericht deswegen!

SCHULDIENER *zieht sich zurück:* Ich wasche meine Hände in Unschuld, Herr Toller.

TOLLER *mit einem hysterischen Anfall:* Hab ich sie

denn umgebracht? Stehn Sie doch nicht so da! Glotzen Sie doch nicht so! Soll ich sie denn allein wegtragen? Auf meinem Rücken?

Es kommen Leute. Fenster werden hell.

STIMME Was ist denn?

EINE NACHBARIN Da ist noch einer von die Bolschewiken!

ZWEITER NACHBAR Halt ihn doch fest!

STIMMEN Licht machen, Licht machen!

EINE FISTELSTIMME Der Toller ist es!

TOLLER *schreit:* Ich habe es nicht getan! *Er läuft weg.*

STIMME Laßt ihn nicht raus ausm Hof!

ANDERE STIMME An der Mauer!

Einige Männer verfolgen ihn.

Die Frau des Schuldieners betet.

SCHULDIENER *zu seiner Frau:* Was betest denn immer?

DIE FRAU Ich bet für den Toller, daß er verreckt.

Links.

EIN ZEITUNGSLESER Nach umlaufenden Gerüchten in der Stadt soll Toller erschossen worden sein und seine Leiche im Ostfriedhof liegen.

EINE FRAU Ja, er hat da gewohnt in der Nachbarschaft. Nicht in meinem Haus. Im Nebenhaus, Frau Maier, Pension Ludwigsheim. Spät aufgestanden ist er immer. Und Besuche. In dem Restaurant in der Ottostraße, Ethos, wo die immer gesessen sind, alle, da ist die Bedienung, Tilde, – die hat mit ihm, ja, die können Sie in dieser Angelegenheit ... Die weiß Bescheid. Tilde.

EIN BETRIEBSINGENIEUR *diktiert:* Auf dem hiesigen Werk befindet sich ein Arbeiter, der meines Erachtens mit dem gesuchten Ernst Toller identisch ist. Ich bitte deshalb um allerschnellste Übersendung des Signalments und einer Fotografie,

EIN DICKER MANN E Bärtsche soll er jetzt habbe. E rotes Bärtsche. E Brill hat er uff. Un wenn er übberlescht, macht er als immer die Aache zu.

EIN MUSIKLEHRER Ohne daß ich hier etwas behaupten möchte, das dann eventuell nicht stimmen könnte, ich habe gehört, auf einer Gesellschaft, daß Frau Cassirer, – die Hofschauspielerin Durieux... Auch Cassirer ist bekanntlich Jude.

Unten. Weißgardisten bringen den gefangenen Landauer. Er trägt einen langen schwarzen Mantel.

Links.

DIE FRAU Den Landauer haben sie! Den Landauer!
Die Weißgardisten drängen die Zivilisten weg.

DICKER MAN Das muß ich mer jetzt aagugge. *Er geht mit den anderen weg, kommt später rechts wieder*
Unten.

1. WEISSGARDIST *zu Landauer:* Gell, den Kommunismus der Frauen hast einführen wolln in München?

LANDAUER Aber das ist doch Unsinn! Ich habe nie etwas dergleichen gesagt!

1. WEISSGARDIST Habs aber gelesen, in der Zeitung!

LANDAUER Das ist Hetzpropaganda! Das sind Lügen!

2. WEISSGARDIST Jetzt bist du feig, gell? Jetzt sagst du nichts mehr?

LANDAUER Ich habe immer mit meiner Person vertreten, was ich gesagt habe!

3. WEISSGARDIST *ein junger Schwuler:* Was haben Sie denn gesagt?

LANDAUER *zitiert das Matthäus-Evangelium:* »Was ich gesagt habe, das habe ich gesagt.«

2. WEISSGARDIST Du! Werd nicht frech!

1. WEISSGARDIST Ich hätt gar nix gegen den Kommunismus der Frauen.

LANDAUER Wir haben gesagt, wir wollen ein sozialistisches Gemeinwesen schaffen, mit wahrhaft freien Menschen – eine große und schöne Bruderschaft! – Denn frei seid ihr nicht, solange ihr noch im Militarismus –

2. WEISSGARDIST Mir san vom Freikorps! Keine Militaristen!

LANDAUER Verführte seid ihr –

3. WEISSGARDIST *grinst, zum ersten:* Ich bin verführt Franzi!

LANDAUER Man hat euch auf die imperialistischen Schlachtfelder geschickt, und ihr habt euch hinschlachten lassen – freiwillig! Dann erst ist das große Erwachen gekommen, bei den Besten unseres Volkes, und die haben gesagt: Nie wieder! Nie wieder Menschen gegen Menschen!

1. WEISSGARDIST Die Spartakisten! Die san ja die schlimmsten!

2. WEISSGARDIST Alle Menschen sind gleich – das ist ja undurchführbar!

3. WEISSGARDIST *grinst:* Marxismus!

LANDAUER Ich bin kein Marxist! Ich bin nie Marxist gewesen! Ich hatte leidenschaftliche Kontroversen mit den Marxisten! Lesen Sie doch meine Schrift über den Sozialismus! Marxisten, meine Herren, gibt es heute nur noch in Rußland und im Land des Feldwebels, in Preußen!

2. WEISSGARDIST Sozialismus am Arsch!

3. WEISSGARDIST Achtung! *Die Weißgardisten stehen stramm. Ein Major kommt.*

3. WEISSGARDIST Ich melde Herrn Major, wir haben soeben den Landauer eingeliefert.

2. WEISSGARDIST Fehlt jetzt bloß noch der Toller.

MAJOR *steht vor Landauer:* Sie sind also der Landauer?

LANDAUER Ja.

Der Major sieht Landauer ein paar Sekunden lang stumm an. Dann, mit einer unerwartet plötzlichen Handbewegung, schlägt er ihm die Peitsche ins Gesicht. Geht weiter.

LANDAUER *Blut im Gesicht, tappt nach seiner Brille, die halb heruntergefallen ist in hilflosem Zorn:* Verrohtes Kriegsvolk . . . verroht . . .

3. WEISSGARDIST *sehr höflich:* Können Sie noch ein paar Schritte gehn, Herr Landauer?

LANDAUER Wohin soll ich?

3. WEISSGARDIST Dort drüben, in die Waschküche. *Sie gehen mit Landauer weiter. Der junge Weißgardist schlägt Landauer von hinten sein Gewehr auf den Kopf.*

LANDAUER *sackt etwas zusammen, richtet sich aber*

wieder auf, faßt mit beiden Händen an den Hinterkopf. Hat blutige Hände: Das blutet.

2. WEISSGARDIST Du, tu mich nicht anfassen! *Stößt ihn weiter.*

3. WEISSGARDIST Hat dich der Gefangene angefaßt?

4. WEISSGARDIST *kommt gelaufen:* Der Oberhetzer! Der Landauer!

LANDAUER Ich bin kein Hetzer! Ihr wißt selbst nicht, wie verhetzt ihr seid!

1. WEISSGARDIST Das sag noch amal!

3. WEISSGARDIST Weiter, bitte!

4. WEISSGARDIST Langsam! Mit dem hab ich noch eine Spezialabrechnung. Mein Spezi hams in Haidhausen ausm Hinterhalt erschossen.

LANDAUER Ich habe noch nie ein Gewehr in der Hand gehabt. Der Geist des Militarismus steckt euch so tief in der Seele, daß euer ganzes Denken und Handeln davon bestimmt wird!

4. WEISSGARDIST *stößt ihn weiter, Landauer fällt:* Jetzt wern keine Volksreden mehr ghalten!

1. WEISSGARDIST Reservechristus!

2. WEISSGARDIST *zieht ihm ein Manuskript aus der Manteltasche:* Da hat er noch eine Hetzrede in der Tasche!

LANDAUER *wehrt sich am Boden:* Mein Manuskript, es ist ein Vortrag, – bitte . . .

2. WEISSGARDIST *stopft Landauer das Manuskript in den Mund:* Still bist jetzt!

3. WEISSGARDIST Den Kaftan runter!
Sie zerren Landauer den Mantel runter, dann die Kleider. Der junge Weißgardist erschießt ihn.

Links.
DICKER MANN Hochgehibbt is er.

*Rechts. Wohnung eines alten adligen Herrn. Der
Adlige, Toller verkleidet. Brille, rotes Haar,
Schnurrbart. Er wirkt sehr nervös.*
ADLIGER HERR Die Maskerad! Frappierend! Das
Bärtchen! Das macht einen andern Menschen –
bloß wie S' da eben gestanden sind, die Haltung,
das leicht Gebückte –
TOLLER Das Haus ist umstellt!
ADLIGER HERR Keine Angst. Beim bayerischen Hoch-
adel suchens keinen Revolutionär.
TOLLER Ihr Diener hat mich erkannt!
ADLIGER HERR Der! Der war ja dabei! Der hat mir
erzählt von der Gründungsversammlung drüben
im Palais. Wie der Mühsam auf den Barockstuhl
gestiegen ist, – das war für den Gradl die Apoka-
lypse. Aber denunzieren tut der nicht, Toller. Vielleicht, wenn Sie der Leviné wärn. Aber der ist ja
passé. – Jetzt sagen Sie, was haben Sie sich eigentlich gedacht, damals – ich frag bloß so. – Der Mühsam – sympathisch, auch der Landauer, ich hab ihn
mal reden hören, mit den Locken, aber so furchtbar
anarchistisch überanstrengt. Und Sie, Toller…? Sie
dichten fürs Theater, hab ich gehört? Sie solln
aggressiv sein, expressionistisch? Vielleicht reüs-
sierns damit? – Was wars? Die Faszination vor
dem Momentanen, ja, das ist es wohl immer bei
den Jungen. Ein Glück noch, daß Sie keinen Wittelsbacher erschossen haben, so par hasard, … ich

mein, nicht, daß ich Ihnen bös wär deswegen, aber die Beerdigung! Das hätt eine Volksbeteiligung gegeben, daß Ihnen Ihre ganze Revolution beim Teufel gewesen wär! Sie kennen das Volk nicht, Toller! Ich mein, die Leut! – Nein, Ihnen tuns jetzt nichts mehr, brauchens keine Angst haben. Nach vier Wochen, da hat sich der Volkszorn gelegt. Mildernde Umstände vor einem regulären Gericht, damit könnens unbedingt rechnen. Höchstens die Militärstreifen ... Vorgestern ist einer erschossen worden, an der Wohnungstür, versehentlich, der soll eine gewisse Ähnlichkeit mit Ihnen gehabt haben, die Statur, und im Gesicht – ich mein: ohne das Bärtchen. Sie haben davon gehört?

TOLLER Ja.

ADLIGER HERR Die Leut sind halt immer noch hysterisch. *Sieht nach draußen.* Sie stehn noch da. – Ein einfacher Mann wars, Installateur. – Sehns, der Leviné, das war anders. Den hat man gleich erschossen, kurze Verhandlung, und weg. Damit wars erledigt. Der hat wegmüssen, aus begreiflichen Gründen. Aber Sie ...

TOLLER Der Leviné ...

ADLIGER HERR Was wollen Sie sagen?

TOLLER Nichts.

ADLIGER HERR Aber standhaft war er, vor Gericht, nichts bereut, überhaupt nichts Persönliches, alles bloß Weltrevolution, wie er die Rede gehalten hat, vor der Hinrichtung – imponierend! Das ist sehr bewundert worden, – sehr imponierend.

TOLLER *plötzlich wütend:* Da stellt er sich hin! Hält eine Rede! Läßt sich erschießen! Schön! Schön! Schön!

ADLIGER HERR Aber Toller! Ich bin doch nicht fürn Leviné! Warum werdens denn so ungehalten?

TOLLER Verzeihn Sie!

ADLIGER HERR Ich bin ja auf Ihrer Seite, in dem Fall. Ich sympathisier ja mit Ihnen. Ihnen fehlt bloß . . . wie soll ichs sagen . . . Ihnen fehlt so eine gewisse . . . sind halt noch sehr jung, Toller!
Es klingelt.

ADLIGER HERR Da sind sie. Libertinasch wie bei den Roten.

TOLLER *sehr aufgeregt:* Wo soll ich hin?

ADLIGER HERR Werdens bloß nicht nervös. Ich empfang die Herren im Entree, und wenn sie wirklich hereinkommen sollten . . . Glauben Sie mir, die Maskerad ist perfekt.
Der adlige Herr geht hinaus. Toller horcht. Er ist aufs äußerste gespannt und nervös. Er wartet atemlos. Er steht auf, geht ein paar Schritte. Er steht vor dem großen Spiegel. Er prüft seine Kleidung, sein Gesicht, sein Haar. Mit einem plötzlichen Entschluß reißt er seine Brille herunter. Dann das Bärtchen. Er wendet sich um: so wird man ihn sofort erkennen: den Mann auf dem Steckbrief. Er steht jetzt der Tür gegenüber, in der Erwartung, daß jetzt die Soldaten eintreten werden und er wird ihnen sagen: Sie suchen Toller, hier bin ich! Aber die Soldaten kommen nicht. Der adlige Herr kommt allein zurück.

ADLIGER HERR Studienassessor war der Leutnant! Ich hätt ihn fast mit einem Armagnac – aber Toller! Was haben Sie denn? Wenn die jetzt reingekommen wären und hätten Sie so ... Toller! Was das gegeben hätt ... auch für mich!

Toller rennt weg.

ADLIGER HERR Aber das ist doch ... die sind doch noch im Haus!

Unten. Militärmusik. Ein schöner Sonntag. Bürger. Ein Weißgardist läßt sich in Pose vor einem aufgemalten Totenkopf fotografieren. Resl steht dabei.

RESL Das schaut ja direkt gemeingefährlich aus.

WEISSGARDIST *sieht sie an, lustig:* Du auch, Pola Negri.

RESL Resl heiß ich, immer noch.

WEISSGARDIST *grinst:* Und ich bin vom Stoßtrupp eins.

RESL Pionier ist mir lieber.

WEISSGARDIST Da bist du wohl noch unerforschtes Gelände, Mädel?

RESL Nicht grad.

WEISSGARDIST Aber solo, im Moment?

RESL Was heißt solo!

WEISSGARDIST Na ja, solamente!

RESL Du sprichst ja perfekt ausländisch!

WEISSGARDIST Bin auch aus dem Ausland.

RESL Preußen!

WEISSGARDIST Preußische Garde!

RESL Ihr seid von Starnberg reingekommen?

WEISSGARDIST Freikorps Epp, wenn dir das was sagt.

RESL Sagt mir schon was.

WEISSGARDIST Alles stramme Feger.

RESL *geht mit ihm weiter:* Der Walter hats auch nicht verdient, das Schicksal.

WEISSGARDIST Das war wohl dein Freund?

RESL Freund ist zuviel gesagt. Wir haben uns unterhalten.

WEISSGARDIST Heute unterhalten w i r uns!

Sie stehen bei der Kapelle.

RESL *nach einer Pause:* Bei Starnberg habens ihn erschossen. Am Bahndamm.

WEISSGARDIST Wen?

RESL Den Walter.

WEISSGARDIST Dann war er einer von den Roten!

RESL Gesponnen hat er schon.

WEISSGARDIST Da mußte durchgegriffen werden.

RESL Aber was er zum Beispiel gesagt hat über die Befreiung des Weibes zum Beispiel –

WEISSGARDIST Blödsinn! Mit m i r nicht, sowas!

Links vier Zeugen. Sie tragen Masken, die ihre Züge leicht ins Expressive verzerren.

JEMAND *sagt an:* Minister des Innern, Heine.

HEINE Für die Richter wird es vielleicht nicht ohne Interesse sein, wenn ich als mildernden Umstand dies anführe: die ganze Politik, die die bayerische Regierung seit dem November 1918 geführt hat, war geeignet, die Grenzen zu verwischen, die zwischen einer neuen legalen Staatsordnung und einem Zustand gewaltsamer Untergrabung und Zerstörung gezogen werden müssen. Diese Politik zeigte keinen Willen zu einer neuen Ordnung, sondern war ein Umsturz in Permanenz, ein fortschreitendes Herabgleiten von einer Stufe zur anderen, bis zur Räterepublik, bis zur Tyrannei der Roten Garde. Eine derartige Entwicklung muß in einem jungen, politisch unreifen Kopfe, einer Dichterseele Verwirrung anrichten und das Gefühl für die Pflicht, Ordnung und Arbeit herzustellen, vernichten. Toller ist kaum persönlich verantwortlich zu machen. Seine Hinrichtung könnte bei den vielen Freunden, die er sich erworben hat, nur die ungünstigsten Wirkungen haben.

JEMAND *sagt an:* Professor Weber.

WEBER Er hat meine Vorlesungen und Seminare in Heidelberg besucht. Er ist mir als ein eifriger, begabter und im Sinne der Sache bemühter junger Mensch aufgefallen. Nach dem Eindruck, den ich von ihm gewonnen habe und nach den Hoffnungen, die man auf ihn setzen konnte, muß ich sagen: Gott hat ihn im Zorn zum Politiker gemacht.

Oben. Das Gericht mit Masken oder Halbmasken: »Kapital«, »Klerus«, »Justiz«, »Militär«. Sie lachen.

JEMAND *sagt an:* Hofrat Max Martersteig, Intendant.

MARTERSTEIG *liest ein Gutachten vor:* Der gegen die bürgerliche Gesinnung sich wehrende Drang zu innerer Freiheit, der in seinem Drama »Die Wandlung« zum Ausdruck kommt, ebenso wie die antikirchliche Tendenz entsprechen einer ideellen revolutionären Einstellung, die gegen alle kompromiß-

lerischen Abschwächungen echte Menschlichkeit und
echte Religiosität von den Widersprüchen prakti-
scher Lebenserfahrung befreit sehen möchte und
eine zum Extremen hinneigende Haltung: Alles
oder nichts! ganz zwangsmäßig begründet.

Diese Haltung ist für tausende unserer geistigen
Jugend ganz allgemein. Ebenso typisch ist auch an-
gesichts der Entsetzlichkeiten des Krieges, der jähe
Umschlag in den extremen Pazifismus. Man hat
darin die unbedingte Konsequenz jener nur ideali-
stischen Einstellung zu erblicken, die vorher, trotz
aller Wahrhaftigkeit, doch am wirklichen Welt-
bilde sich nicht zu orientieren vermochte und zu-
dem recht häufig eine verzärtelte Empfindsamkeit
noch geflissentlich zu nähren liebte, die neurasthe-
nische Grundstimmungen begünstigte. Das ergibt
sich als psychologische Analyse des Helden in der
Dichtung Ernst Tollers, die als Selbstbekenntnis
gewertet werden muß.

JEMAND *sagt an:* Psychiatrisches Gutachten.

GUTACHTER ... war in der Zeit vom 28. 12. bis 15. 1.
1918 im Sanatorium Grunewald bei Berlin, dessen
leitender Arzt ich damals war. Während seines
Aufenthaltes zeigte Toller so hochgradige nervöse
Überreizung, daß sein normales Geistesempfinden
in Frage gestellt werden muß. Er ist eine psycha-
chetische und hysterische Persönlichkeit, welcher
neben disharmonischer Veranlagung, Erregbarkeit
und Begeisterungsfähigkeit, Kritiklosigkeit, Eigensinn und Leichtgläubigkeit im Sinne der Idee, in
die er sich grade verbissen hat, sowie Neigung zu

hysterischer Reaktionsweise, starker Beeinflussung durch die Umwelt und abnormer Neigung, sich hervorzutun, zugute zu halten ist.

Rechts. Toller im Käfig wie in »Masse-Mensch«.

TOLLER Sie, die Sie es zugelassen haben, daß man Landauer auf viehische Weise erschlagen hat, die Sie Leviné standrechtlich erschossen haben nach einem Prozeß, bei dessen Beginn das Urteil schon feststand, die Sie guten Gewissens damit einverstanden sind, daß man die Arbeiter, meine Mitkämpfer, aus den Häusern holt und füsiliert – Sie bemühen sich offenbar in diesem Prozeß, mir mildernde Umstände zu verschaffen. Man ist daran interessiert, meine Verbrechen zu verkleinern, ja, zu entschuldigen! Man hat meine guten Taten zusammengetragen, man hat hingewiesen auf die Todesurteile, die ich zerrissen, auf die Aussagen von Bürgern, deren persönliches Eigentum ich geschützt, auf den Mut, den ich bewiesen habe durch meinen Protest gegen den radikalen Kurs der Kommunisten. Und der von mir verehrte Professor Max Weber hat hier unter dem Gelächter der Anwesenden gesagt, Gott habe mich im Zorn zum Politiker gemacht. Nicht Gott, sondern auch die Vorlesungen des Herrn Professor Weber haben mich dazu gemacht! Und dann sind Unterschriften von Schriftstellern gesammelt worden, – darunter so würdige Namen wie Thomas Mann, Max Halbe, Carl Hauptmann und Björnson – die in einer Bittschrift dem Gericht bescheinigen, daß ich Dichter sei. Was für eine Ehre! Ich habe es zugelassen, daß man mich in dieser Weise ehrt. Ein Dichter, – ja. Aber damit wollen Sie auch sagen, daß man mich nachsichtiger behandeln müsse als etwa einen Berufspolitiker oder einen revolutionären Arbeiter. Warum meine Herren, bemühen Sie sich so um mich? Liegt Ihnen daran, meinen Kopf und meine Ehre zu retten? Gewiß nicht! Nein, – weil Sie meinen, ich sei im Grunde einer der Ihren, ein Bourgeois, und weil Sie es nicht fassen können und weil es Sie tief beunruhigt, daß sich einer der Ihren an diesem Umsturz beteiligt, ja, daß er sogar einige Zeit die Führung dabei übernommen hat. Ich kenne Sie doch! Sie wollen mich von der Revolution trennen, Sie wollen mich, wenn ich nur bereue, bereitwillig wieder zu den Ihren zählen, um die Revolution um so härter verurteilen zu können. Sie wollen sagen: er war ein anständiger Mensch, durchaus kein Verbrecher, wie Leviné, bis die Pest und das Fieber der Revolution kam, die hat die Verwirrung in den Köpfen und schließlich die Verbrechen hervorgerufen, die wir – Sie und ich – verabscheuen. Lassen Sie mich dem entgegnen: daß ich alles im vollen Bewußtsein und in der vollen Verantwortung getan habe; und daß ich als Dichter keine Zeile geschrieben habe und – falls Sie mir noch einmal Gelegenheit dazu geben – keine Zeile schreiben werde, die ich nicht verantworte wie eine begangene Tat!

ZWISCHENRUFER *von oben:* Schlechte Literatur, Alibi für schlechte Taten!

TOLLER Blut ist geflossen. Unschuldige sind gefallen,

ermordet, zertreten worden. Ich habe es mit Ent-
setzen gesehen. Aber ich weiß heute: wer auf der
Ebene der Politik, im Miteinander ökonomischer
und menschlicher Interessen kämpft, muß die Erfahrung machen, daß Gesetz und Folgen seines
Kampfes von anderen Mächten bestimmt werden
als von seinen guten Absichten, daß ihm die Art
der Wehr und Gegenwehr aufgezwungen wird.
Und da dieses Blut geflossen ist in den Tagen, für
die ich hier angeklagt bin, sage ich es Ihnen, die
dort sitzen, als Zuschauer nur, als ewig Abwar-
tende und ewig Unschuldige: Menschen haben dies
getan und ich habe es mit ihnen getan.

ZWISCHENRUFER *von oben:* Schauspieler!

TOLLER Ja, sehen Sie mich mit Entrüstung und mit
Abscheu an! Ich bin keiner von den Ihren! Ich
weigere mich, einer von den Ihren zu sein! Ich gehöre zu diesen Toten, die für ihre Träume gefallen
sind, zu Landauer und zu Leviné, – ja, auch zu
Leviné! Verurteilen Sie mich, meine Herren Richter! Die Geschichte geht darüber hinweg in eine
bessere Zukunft, die dem Sozialismus gehört, und
sie wird anders urteilen.

*Unten ist während Tollers Rede ein Zug Reichs-
wehrsoldaten hereingekommen. Die Soldaten stellen sich vorn an der Rampe, Gesicht zum Publikum, auf. In der Mitte bleibt eine Lücke.*

Oben. Das Gericht erhebt sich.

VORSITZENDER Toller, Ernst, Schriftsteller, konfes-

sionslos, wird wegen eines Verbrechens des Hoch-
verrats zu fünf Jahren Festungshaft verurteilt.

DAS »KAPITAL« Dieses Urteil ist ein Sieg humanitärer
Gesinnung. *Das Gericht ab.*

*Unten. Hinter dem Reichswehrsoldaten sieht man
einen Leutnant, der Namen aufruft. Münchner
Schlachthof. Nach jedem Aufruf tritt ein Zivilist
mit hinter dem Kopf verschränkten Händen vor
und nach der Seite ab. Man hört in bestimmten
Abständen Gewehrsalven. Die aufgerufenen Arbeiter werden erschossen.*

*Oben sieht man jetzt Gesichter: Zuschauer; sie be-
obachten gespannt die Verlesung der Namen.*

DER LEUTNANT *liest aus der Liste:* Niedinger, Paul,
Äußere Wienerstraße, Tapezierer.

Der gefangene Arbeiter wird abgeführt.

Lößl, Ignaz, Im Tal, Bauhilfsarbeiter.

Er wird abgeführt.

Stratmann, Joseph, Westenriederstraße, Drucker.

Er wird abgeführt.

Liebhard, Manfred, ohne Beruf.

EIN MANN *oben, ruft herunter:* Ich habe es gesehn!
Wie er geschossen hat! Ich wohne im Stock gegenüber!

Der Gefangene wird abgeführt.

DER LEUTNANT Probst, Georg, Sendlingerstraße,
Journalist.

EINE FRAU *oben, ruft:* Ja, das war ein Hetzer! Der
hat die Leut aufgehetzt! Schon im Krieg, wie unsere
Männer an der Front warn!

Der Gefangene wird abgeführt.

DER LEUTNANT Döpfer, Karl, Hunzinger, Karl, beide arbeitslos, Alpenstraße.

EIN MANN *oben:* Der wars, der schwarze!

Beide Gefangenen werden abgeführt.

DER LEUTNANT Hess, Karl-Alfred, Maschinist, Trappentreustraße.

Der Gefangene wird abgeführt.

Brunner, Hans, Optikerlehrling.

EIN HERR *im Mantel kommt rasch heran und ohrfeigt den Jungen:* Gell, du Rotzlöffel, du dreckiger! *Zerrt ihn weg.* Du schaust sofort, daß du wieder an die Arbeit kommst!

DER LEUTNANT Halt! Stehnbleiben!

DER HERR *zeigt seinen Ausweis, worauf der Leutnant salutiert:* Das ist mein Lehrbub, dem zeig ichs selber. *Er geht mit dem Jungen ab.*

DER LEUTNANT *liest weiter:* Zumbusch, Franz, Schlosser, Ebinger, Karl, Hilfsarbeiter, Weller, Adolf – *Die Gefangenen werden abgeführt.*

DER LEUTNANT Boll, Paul –

DER ARBEITER *schreit:* Ich hab kein Gewehr mehr ghabt! Das hat mir einer in die Wohnung gelegt!

EIN MANN *oben:* Das war ein Hetzer, dem gschieht kein Unrecht!

Der Gefangene wird abgeführt.

DER LEUTNANT Obermeier, Fritz, Maurer; Schwendy, Xaver, Gastwirt; Reinhardt, Otto, Schlosser; Bitter, Alfred, Werkmeister; Höpner, Erich, Drucker; Weller, Karl, ohne Beruf; Pöhlmann, Ulrich – *da niemand vortritt, wiederholt der Leutnant scharf:* Pöhlmann, Ulrich!

Fünf in dieser Fassung
weggelassene Szenen

Wittelsbachpalais
Toller, Dr. Lipp, Mühsam.

TOLLER Lipp, Ihr Telegramm an Lenin macht mir allmählich Sorge.

DR. LIPP Spätestens übermorgen haben wir Antwort.

MÜHSAM Ossa!

TOLLER Habt Ihr heute schon die Rote Fahne gelesen? Wieder ein Artikel von Leviné.

DR. LIPP Parteidogmatisch beschränkt.

TOLLER Und haben Sie gehört, Lipp, die Franzosen wollen einen Sonderbeauftragten nach Berlin schicken, um über die Lebensmittellieferungen zu verhandeln.

DR. LIPP Haben sie schon.

TOLLER Haben sie schon?

DR. LIPP Sie sehen, – mein Informationsdienst . . .!

TOLLER Was dabei verhandelt wird, ist mir ziemlich klar.

MÜHSAM Weg mit der Räterepublik oder nischt zu fressen im Deutschen Reich!

DR. LIPP *überlegen:* Sie sagen es!

TOLLER Und wie sehn Sie das?

DR. LIPP Ruhig.

MÜHSAM Ich nicht grade.

TOLLER Ich auch nicht. Wenn die wirklich die Lebensmittel sperren, akzeptiert Ebert in acht Tagen alles. Dann haben wir Noske vor der Tür.

DR. LIPP Eine Erpressung! Darauf kann doch unser deutscher Sozialdemokrat Ebert nicht eingehen.

TOLLER Weiß ich nicht, weiß ich nicht, weiß ich nicht!

DR. LIPP Das hätte Riesenstreiks in allen Ländern zur
Folge, und das hieße: der deutsche Proletarier
schwenkt noch extremer nach links, – das paßt
doch weder den Sozis noch den Monopolherrn ins
Konzept. Haben Sie die Fotografie von Noske gesehn? Haarige Hände wie ein Gorilla.

TOLLER Was wird Ebert tun, Ihrer Meinung nach?

DR. LIPP Zurücktreten, natürlich!

TOLLER Für den nächsten, und der hat dann weniger
Skrupel.

DR. LIPP Da sehen Sie – meine außenpolitischen Bemühungen um Anerkennung eines souveränen
Staates Bayern sind der einzige Ausweg. Im Moment haben die Siegermächte noch Angst vor
Reichsdeutschem Revanchedenken, – das müssen
wir nutzen! Wenn uns nur Italien als souveränen
Staat anerkennt, oder England, dann können wir
eine militärische Intervention Eberts leicht auf diplomatischem Wege verhindern.

TOLLER Scheint mir spekulativ.

DR. LIPP Sie sind kein homo politicus, lieber Toller.

MÜHSAM *böse zu Lipp:* Sie aber!

DR. LIPP In Berlin amtiert übrigens noch immer der
Botschafter der Bamberger Emigrantenregierung
als Vertreter Bayerns. Ich empfinde das als persönlichen Affront.

MÜHSAM *immer ärgerlicher über Lipp:* Apropos
Anerkennung, der preußische Gesandte will, wir
sollen sein Auto als exterritorial erklären. Ich hab
ihm gesagt, wir erkennen sein Auto an, wenn er dafür unsere Republik anerkennt.

DR. LIPP Darauf hat der Gesandte vermutlich nicht reagiert.

MÜHSAM Kassieren, die Karre! Dann reagiert er!

DR. LIPP Es gibt subtilere Mittel in der Diplomatie, Genosse Mühsam!

MÜHSAM Die Reaktion schießt mit Granaten, und Sie wollen mit Formulierungen antworten!

DR. LIPP Aber sie schießt ja noch gar nicht mit Granaten! Wollen wir doch bei den Realitäten bleiben!

MÜHSAM Stellen Sie sich doch nicht so blöd, Herr Lipp! In Ohrdruf werden Freikorps aufgestellt, gegen wen wohl?

TOLLER Auf jeden Fall brauchen wir Waffen.

MÜHSAM Heute noch!

DR. LIPP *lächelnd:* »Stehende Heere sollen mit der Zeit ganz aufhören, denn sie bedrohen andere Staaten unaufhörlich mit Krieg durch die Bereitschaft, immer dazu gerüstet zu erscheinen, reizen diese an, sich einander in Menge der Gerüsteten, die keine Grenzen kennt, zu übertreffen.«

MÜHSAM Was soll denn das?

DR. LIPP Kant, Vom Ewigen Frieden.

MÜHSAM Scheiß auf Kant, Herr Doktor Lipp! Wenn wir nicht bald Kanonen haben, können wir den Kategorischen Imperativ im Zuchthaus studieren.
Geht ab.

DR. LIPP Ein sehr undifferenzierter Mensch, dieser Herr Mühsam!
Geht ab.

Eine Gruppe junger Leute kommt mit Fahrrä-
dern. Sie kleben ein großes Plakat an, auf dem, in
einzelne Plakate unterteilt, SO LI DA RI TÄT
steht. Olga verteilt Flugblätter.
Ein älterer Arbeiter und ein Lehrling stehn an der
Mauer.

DER ÄLTERE ARBEITER *zu Olga:* Na, La Paloma, gib
uns mal son Zettelken!

OLGA *bemüht, mit den Arbeitern in Kontakt zu*
kommen: Das ist schon bald mein letzter! Solida-
ritätserklärung!

EIN ARBEITER *der aus dem Fabriktor gekommen ist*
und weitergeht: Weil wir Kommunisten nicht mitmachen!

EIN ANDERER ARBEITER *spöttisch:* Solidarisch mitm
Herrn Toller!

DER ARBEITER *der aus der Fabrik gekommen ist:* An
Lenin wann mir hättn wars besser.

DER ANDERE ARBEITER Der Leviné ist doch einer.

DER ÄLTERE ARBEITER *zu Olga, die einen Augenblick*
hilflos dasteht: Dat sin woll allens Studierte?

OLGA Nicht alle. Wir sind so eine Gruppe.

DER LEHRLING Wie isn der Toller?

OLGA Wie – wie er ist?

DER ÄLTERE ARBEITER Bring ne Dame doch nich in
Verlegenheit!

EIN ANDERER ARBEITER Student is er! Sagt alles!

OLGA *will weg:* Ich muß jetzt den Jungens helfen.

DER ÄLTERE ARBEITER Mit de Arbeiter hastes woll
nich so?

OLGA *bleibt nun da:* Aber wieso denn?

DER ÄLTERE ARBEITER Hab ich n Gefühl für.

OLGA Hören Sie mal! Wozu kleben wir denn die Plakate?

DER ÄLTERE ARBEITER Dann biste woll auch ne Studierte?

OLGA Ja, Chemie und Biologie.

DER ÄLTERE ARBEITER Dann haste woll studiert, daß der Mensch vom Affen abstammt!

OLGA *lacht:* So was ähnliches, ja.

DER ÄLTERE ARBEITER Ich hab auch biologische Bücher gelesen. »Keimendes Leben« von Professor Schmidt.

OLGA Das Buch kenn ich leider nicht.

DER ÄLTERE ARBEITER Über die Fortpflanzung und all dat.

DER LEHRLING *ohne Olga anzusehn:* Die is für die freie Liebe.

OLGA Was verstehn Sie denn darunter?

DER LEHRLING Die Filmschauspieler.

OLGA *lacht.*

DER LEHRLING *verzieht keine Miene.*

OLGA Ich war sogar schon mal verheiratet, – so ne richtige Bourgeois-Ehe! Das hab ich nicht ausgehalten.

DER ÄLTERE ARBEITER Dann war der Mann wolln klaren Blindgänger.

OLGA Ich wollte studieren.

DER ÄLTERE ARBEITER War wolln Schlotbaron?

OLGA Chemischer Betrieb im Rheinland.

DER LEHRLING *hat einen kleinen spitzen Dolch, damit fummelt er in seiner Handfläche herum.*

DER ÄLTERE ARBEITER Ne Fabrik? Un da löpse hier in sonne Bogsen römm? Da wärste man besser dagebliehen!

OLGA Wie können Sie sowas sagen!

DER ÄLTERE ARBEITER Laß man. Ich kenne das Leben.

OLGA Ihre Auffassung finde ich aber einfach traurig!

DER ÄLTERE ARBEITER Direkt hinterm Eisner bin ich marschiert, bei der Revolution! Marsch auf die Theresienwiese! Falls dir das was sagt.

OLGA Und jetzt reden Sie wie ein Bourgeois!

DER ÄLTERE ARBEITER Alles bloß Monetenfrage auf der Welt, weißte.

OLGA Geldfrage! Geldfrage! Machen Sie es sich doch nicht so einfach! Denken Sie doch mal lieber ein bißchen nach!

DER ÄLTERE ARBEITER Studiert haben wir nicht, weißte.

OLGA *leidenschaftlich:* Aber ist Ihnen denn nicht aufgegangen, daß seit Kriegsende eine große Bewegung durch Europa geht – alle diese alten Begriffe und Vorstellungen werden doch über den Haufen geworfen! Fällt Ihnen das nicht auf? Geldfrage! So hat die Bourgeoisie gedacht, meine Eltern! Aber damit wird doch jetzt Schluß gemacht! Lenin in Rußland! Ich kann mich richtig aufregen über Sie! In Ungarn Bela Khun! Haben Sie denn nicht kapiert, was da vorgeht? Und hier, wir –

DER LEHRLING Schau!

Er hält ihr plötzlich seine offene Hand hin, sie ist blutig, er hat sich mit dem Dolch in die Handfläche gestochen.

OLGA Sie bluten ja!

DER LEHRLING *grinst:* Alles Training.

OLGA *will die Hand des Lehrlings mit dem Taschen-tuch verbinden, der Lehrling entzieht sie ihr, wischt sich damit übers Gesicht, das jetzt blutverschmiert ist.*

OLGA *ärgerlich und erschrocken:* Sie müssen aber doch mal nachdenken . . .!
Die andern Studenten haben ihre Plakatklebeak-tion beendet, die Riesenschrift füllt die Bühne: SO-LIDARITÄT. Sie nehmen ihre Fahrräder.

EIN STUDENT *ruft:* Komm, Olga! Weiter! Zu Krauss-Maffei!

OLGA *macht einen Versuch, sich auf kameradschaft-liche Weise zu verabschieden, was ihr aber nicht recht gelingt:* Also denn, Genossen . . .
Sie geht mit den Studenten weg.

EIN ARBEITER *sieht ihnen nach:* In zwei Jahrn san die Rechtsanwälte und Doktoren und uns hams hin-ghängt! Mit ihrer Solidarität! Die Studenten!

Bank. Der Volksbeauftragte für Finanzen, Maenner, ehemaliger Bankangestellter, erklärt dem Bankdirektor die Einrichtung des neuen Geldes nach der Schwundgeldtheorie von Silvio Gesell.

MAENNER Das neue Geld, Herr Direktor, das Freigeld, geben wir aus in Zetteln von 1 – 5 – 10 – 100 und 1000 Mark. Außerdem werden Kleingeldzettel ausgegeben. *Er nimmt einen Schein aus seiner Aktentasche.* Wie Briefmarken. Man reißt den Einzelbetrag bis zu einer Mark ab. 10 Pfennig, 20 Pfennig, 30 Pfennig, 40 Pfennig. *Er reißt ab.*

DER DIREKTOR Jetzt kann ich mich erinnern – waren Sie nicht Kreditabteilung?

MAENNER Das Freigeld verliert jede Woche automatisch an Zahlkraft. Und zwar auf Kosten des jeweiligen Inhabers. Der Inhaber, der einen solchen Freigeldschein besitzt, muß ihn durch Aufkleben von Kleingeldmarken immer wieder vervollständigen. *Er macht es vor.* Diese Note hier ist jetzt durch Aufkleben von Kleingeldmarken bis zum 10. August vervollständigt. Der Besitzer dieser Note will selbstredend keinen Verlust haben, also sucht er sie so schnell wie möglich weiterzugeben. Wenn er sie behält, etwa sagen wir bis zum 10. September, so muß er 5 mal 10 Pfennig nachzahlen, – das heißt, muß er sie auf diesem 100-Mark-Zettel aufkleben. – In Zukunft wird nicht mehr die Bank das Geld abgeben, Herr Direktor. Dafür haben wir in Zukunft ein Währungsamt. Das Währungsamt wird die Ausgabe des Freigeldes den

Marktverhältnissen anpassen, so daß infolgedessen die Warenpreise stabil bleiben. Wir bringen mehr Geld in Umlauf, wenn die Warenpreise sinken, und wir ziehen Geld ein, wenn die Preise steigen. Die Preise, Herr Direktor, hängen ausschließlich von der Menge des angebotenen Geldes ab. Also, das Geld büßt jetzt seine zinstragende Eigenschaft ein und wird somit auf die Rangstufe von Ware und Arbeit herabgedrückt, das will besagen: keine Börsenspekulation mehr! Kein kapitalistischer Wucher! Das Geld bleibt immer in Umlauf und jeder Überfluß wird sofort umgewandelt in Produktionsmittel, Wohnungen und so weiter, ohne jede Rücksicht auf Einträglichkeit. Das Profitdenken hat somit aufgehört, Herr Direktor! Und das besagt, wir beseitigen mit diesem System die wirtschaftlichen Ursachen des Krieges! Wir schaffen den Krieg ab! – Das neu zu errichtende Reichswährungsamt macht keine Bankgeschäfte. Kein Schalter, noch nicht einmal einen Geldschrank! Unser Freigeld wird gedruckt in der Reichsdruckerei. Ausgabe und Umtausch erfolgt durch die Staatskassen. Preisermittlung erfolgt durch das statistische Amt. Alles sehr logisch, Herr Direktor. Ein Mann bringt das Geld von der Druckerei in die Staatskassen, und ein Mann verbrennt das Geld, das die Steuerämter aus währungstechnischen Gründen eingezogen haben. Das ist alles was wir brauchen, Herr Direktor. Eine Presse und einen Ofen. Sie sind total überflüssig, Herr Direktor.

Lehrerkollegium.

ERSTER STUDIENRAT Krüsche meint, wenn die Roten die Gymnasien aufheben, müssen wir uns sofort, gänzlich unbekümmert um unsere sonstige Gesinnung, der Kirche zur Verfügung stellen. Für die geistlichen Gymnasien. Dann ist eben Klerus und Bildung wieder identisch, wie im frühen Mittelalter.

ZWEITER STUDIENRAT Die Banksafes sollen geöffnet werden, hab ich heute morgen gehört.

DRITTER STUDIENRAT Ich hab nichts drin, bloß ein paar Bestecke.

ERSTER STUDIENRAT Damit wird man wohl die Rote Armee bewaffnen!

Gelächter.

VIERTER STUDIENRAT Auf jeden Fall dürfen wir Beamten jetzt nicht streiken. Darauf warten die Roten bloß.

DRITTER STUDIENRAT »Vierzig Gebirg brüllen den infernalischen Schwank in die Rund herum nach!«

VIERTER STUDIENRAT Ausdruck! Pubertäre Exaltation, Toller und das Ganze!

DRITTER STUDIENRAT Schiller, die Räuber.

Polizeiwache. Posten mit roter Armbinde. Auf einer Bank sitzt wartend ein zierlicher älterer Mann in einem kaftanähnlichen Mantel.

DER MANN AUF DER BANK Wenn Se mechten heeren eine Geschichte . . .?

ROTGARDIST *der sein Gewehr putzt:* Politisch?

DER MANN AUF DER BANK Nu – eine scheene Geschichte.

DER ROTGARDIST *putzt wortlos sein Gewehr weiter.*

DER MANN AUF DER BANK Also ich bin emal gewesen zu Gast auf dem Gute von dem Herrn Baron von Zaloziecky, ein feiner Mensch, der Herr Baron . . .

ROTGARDIST Scheiß auf dein' Baron!

DER MANN AUF DER BANK Entschuldigen Se gietigst!

Nach einer Pause:

Ich will erzehlen, wie mer da sitzen in der scheenen Sommernacht, es ist sehr scheen, sehr friedlich, da kommt e Knecht gerennt und ruft: Die Schweine sind weg! Es warn an die 150 Sticke. Nu, was wolln Se: wir sehn in den Stall, da sind se nich. Wir sehn in den Garten, da sind se nich. Wir sehn in die Gemiesebeete, da sind se nich. Nu, und ringsrum ist gewesen alles nechtlich. Da ist der Herr Baron von Zaloziecky, sonst e gefaßter Mensch, ist er geworden sehr engstlich, nemlich se warn wert, daß ich ni liege, siebentausend Rubel. Aber der Oberst Malakoff is e intimer Freind von den Baron von Zaloziecky, sagt er begietigend: mein lieber Freind, verlasse dich auf deinen Oberst Malakoff! Und nu is er gescheftig und macht e militärische Berechnung, wie mer so sagt: e Strategie, wie se jetzt

wolln einfangen die Tiere. Alle zu Pferde. Ich habe
auch missen zu Pferde sitzen. Hierhin is einer geritten und dahin is einer geritten, jeder is geritten
in e andere Richtung, so is gewesen die Strategie von
dem Herrn Oberst. Nu, was wolln Se, e Oberst
wird doch sein bedeitend klieger als achzig Schweine! Er wird se schon ieberlisten! Drei oder vier
Stunden sin wer geritten in der finstern Nacht. Was
soll ich Ihnen erzehlen, da seh ich auf emal e Licht,
e Feierchen vom Gutshofe, das will besagen: die
Schweine sin wieder zuricke, im Stalle. Nu, Gott
sei gedankt, reite ich auch zuricke. Da sin se, die
Schweine, und der Herr Oberst is auch wieder zurick
auf seim Pferde – sehr stattlich! Aber wer hat se
nu aufgefunden? Der Herr Oberst nich und der Herr
Baron von Zaloziecky nich und keener hat se gefunden mit der Strategie von Herr Oberst, sondern
der Boris hat se gefunden. Nu, wer is Boris? Boris
is, wie mer so sagt: bleede. E bleeder Mensch, den
mer nich kann gebrauchen für e verninftige Tetig-
keit. Und wie hat er se gefunden? Haben se ihn
gefragt, wie is des meglich. Nu, sagt der Boris, ich
bin gegangen in den Stall, hab mich gelegt in das
Stroh, hab die Augen zugemacht und *gefiehlt*. Gefiehlt? Was denn, Boris, gefiehlt? Gefiehlt, sagt der
Boris, wenn de nu werst e Schwein und die Tier
von dem Stalle were aufgelassen, wohin mechtste
dann laufen? Zum Flusse! Und der Boris is gelaufen zu dem Flusse und da warn se. – Nu sehn Se,
Herr Leitnant, so is gewesen die Strategie von dem
Herrn Oberst und so ist gewesen der Boris.

In der Fernsehinszenierung von Peter Zadek wurde eine Dialogstelle aus »Masse – Mensch« auf Chor und Einzelstimmen in folgender Weise verteilt:

EINZELSTIMME Die Masse gilt –
CHOR – nicht der Mensch!
   Du bist nicht unser Held!
EINZELSTIMME Ein jeder trägt die Krankheit –
CHOR – seiner Herkunft –
EINZELSTIMME – die bürgerlichen Male –
CHOR – du!
   Selbstbetrug und Schwäche!
TOLLER *Einzelstimme:* Du liebst die Menschen nicht!
CHOR *der in zwei Sprechgruppen die folgenden Sätze*
   phasenverschoben zu einem Crescendo steigert:
   Die Lehre über alles!
   Ich liebe die Künftigen!
TOLLER *Einzelstimme:* Der Mensch über alles!
TOLLER *Chor:* Der Lehre willen
   wieder phasenverschoben in Sprechgruppen:
   opferst du –
EINZELSTIMME *fällt ein:* Du aber verrätst die Masse!
2. EINZELSTIMME Du aber verrätst die Masse!
TOLLER *Chor:* – die Gegenwärtigen!
   Pause.
CHOR *beginnt zu summen.*
TOLLER *2 Einzelstimmen nacheinander:* Du liebst
   die Menschen nicht!
3. EINZELSTIMME *während der Chor weitersummt und*

die beiden Einzelstimmen ihren Satz mehrmals
wiederholen: Der Lehre willen muß ich sie opfern!
Du aber verrätst die Masse, du verrätst die Sache!
Denn heute gilts sich zu entscheiden.
Wer schwankt, sich nicht entscheiden kann –
TOLLER *Einzelstimme:* Du liebst die Menschen nicht!
CHOR – stützt die Herren, die uns hungern lassen!
ist Feind!
TOLLER *Einzelstimme*: Du liebst die Menschen nicht!
TOLLER *Chor, während die Einzelstimmen den Satz*
»Du liebst die Menschen nicht!« wiederholen:
Ich verriete die Massen,
forderte ich Leben eines Menschen.
Nur selbst sich opfern darf der Täter!
Höre: kein Mensch darf Menschen töten!
Ich verriete die Massen,
forderte ich Leben eines Menschen.
TOLLER *Chor und Einzelstimmen gemeinsam:*
Du liebst die Menschen nicht!
Höre!
weiterhin in Sprechgruppen phasenverschoben sich
steigernd:
Du liebst die Menschen nicht!
Höre: Kein Mensch darf Menschen töten!
ALLE *gemeinsam:* Höre: Kein Mensch –
Höre! Höre! Höre!
Kein Mensch darf Menschen töten!

Die Münchner Räterepublik

Zeugnisse und Kommentar
Herausgegeben von Tankred Dorst
Mit einem Kommentar versehen von
Helmut Neubauer

edition suhrkamp 178

Inhalt:

Zeugnisse: Rainer Maria Rilke · Gustav Landauer ·
Kurt Eisner · Erich Mühsam · Oskar Maria
Graf · Ernst Niekisch · Jakob Wimmer · Ernst
Toller · Wladimir Iljitsch Lenin · Josef Hofmiller ·
Rosa Leviné · Eugen Leviné

Kommentar und Anhang: Helmut Neubauer: Mün-
chen 1918/19 · Erläuterungen · Neuere Literatur zum
Gegenstand dieses Buches · Bibliographische Notiz ·
Quellennachweis

»Eine sehr geglückte, in Gegensätzen sich bewegende
Zusammenstellung, die das Durcheinander von ho-
hen Idealen und persönlichen Ambitionen, redlichem
Willen und totalem Unvorbereitetsein, spontanen
Gewaltausbrüchen und vorsichtigem Lavieren im
München des Jahres 1919 deutlich macht«
Frankfurter Allgemeine Zeitung

edition suhrkamp

Alphabetisches Verzeichnis der edition suhrkamp